S0-CAW-210

小说家散文丛书

可以铸成永恒的瞬间

子在川上曰：逝者如斯乎！不舍昼夜。岁月，无论多么漫长，在你的记忆中留下来的可能只是：在织布机上缓缓流动着的、平展展的白布。如果有一条哪怕很小的小鱼儿，纵身跳出水面，在阳光下，像一颗流星那样燧发出万道银光，只是一闪而逝，随即熄灭。而这一瞬，就会使得漫长的、流水一般的岁月黯然失色。

1. 飞

童年的一天。那时，我正在一间堆积杂物的屋子里，试图爬上一张破旧的靠椅，两条腿轮流往上跨，好多次都失败了。我的腿为什么这么短、这么无力呢！脚总也没法抬到椅子面上，跌下来，摔得屁股疼。我气得用手捶打着椅子腿，当我猜想到，我的手也许比椅子腿更疼时候，就想哭。可环顾四周，发现没有人，一个都没有，就哭不出来了；要是有人，我一定会觉得更疼、更委屈，会大哭，会夸张地大哭。不仅会大哭，而且还要大喊。我知道，所有的人都和我离得很远……

孤独的人比人群中的人要勇敢些！

突然，一声鸟叫，我看见一只普通的、我从来都不屑一顾的麻雀，从我的眼前向一面敞开的窗子，扑翅飞起。我立即忘了自己的烦恼，迅速转向它。它本来是躲在哪儿呢？迎着光明飞翔，使它的翅膀变得宽阔了，透明了，显得美丽而辉煌，被称为“家雀”的麻雀怎么会变得如此美丽而又辉煌了呢！？而且从那以后，它就叠印在那块正方形的蓝天上，成为了一幅永不浅淡的鲜明图画……

2. 瞥

我曾经对一个朋友说：我只见过一只老虎。他立即反驳我说：说谎了！我陪你去过的动物园就不只一个，而且任何一个动物园也不止一只老虎。我说：动物园里的老虎能算是老虎吗？不是它们被关在笼子里，就是我们被关在汽车里。我和它们之间隔着钢铁栅栏或是玻璃，隔着戒备，隔着误解，敌视着。那些虎的皮毛失去了锦缎般的色泽，像枯黄的干草。眼睛失去了光芒，充满倦怠和怯懦。体态萎琐，步履犹豫，它们哪里是真正意义上的老虎呢！它们比猫还要卑微。那么，你是在哪儿见到那只真正意义上的老虎呢？

50年代初，我曾经在滇西北的碧塔湖露营过几天。那是一个神奇的高原湖，坐落在雪山环抱的山谷里。湖心有一个小岛，湖边全都是木本杜鹃。我就是在那儿看到“杜鹃醉鱼”的，“杜鹃醉鱼”是一个奇特的景象，鱼儿吞吃着飘落在湖水里的杜鹃花瓣，会醉，醉了，漂浮在水面，渐渐又会醒来。醒来，又吞吃杜鹃花瓣，又醉……鱼儿的醉态十分可爱。正因为那里的藏民不抓鱼，鱼才会那样自由自在地陶醉在大自然中，而无所顾忌。

有一天中午，我的向导正在帐篷里睡觉。散放在湖边的3匹马正在津津有味地啃着嫩草。我在湖边草地上，半躺半坐地凝视着雪山上的一团白云，忽然，吹来一阵风声，右侧山坡上高过半人的枯草，显出一条裂缝来。很快，一只斑斓猛虎直接出现在我的面前。它的右前蹄抬了一下，就站住了，定睛向我投来一瞥。我想，那时我一定也定睛回报了它。全过程顶多只有1/50秒。非常奇怪的是，我压根儿没想到你吃掉我和我吃掉你的问题，所以我仍然是原来的姿势和原来的神情，连应有的惊讶也没有，我把它和这纯净美丽的自然景色归于一体了。它仰着高贵的头颅，既不怕我，也不恨我，像我一样，它把我和这纯净美丽的自然景色也归于一体了。阳光在它那光亮的皮毛上点燃着金色的火苗，虎目之光如同云层之中的一束闪电。然后它自信而轻松地沿着小溪，快步如飞地消失在茂密的林中了。

没有自由的生存环境，任何生物都会失去自己，被迫异化为另外的东西。在那一瞥之后，我再也没有看见过老虎了。但，这已经足够了！任何时候我都可以用那千金一瞥，去鉴定物体的真伪了。

3. 萤

我第一次进入滇南的热带山谷，还没有公路，是骑着马去的。横断山脉的特点就是山特别高，谷特别深，翻一座山需要整整一个白天。

当我将要下到谷底的时候。最后一抹夕阳，把洁净如洗的小小一方世外桃源，呈现在我的面前，清晰得如同一幅在我掌中展开的水彩画。墨黑的山林给小河让开了一条道路，让得宽阔了一些，就成了一个杏核形的平坝。小河从西边一条狭窄的山谷里游进来，弯弯曲曲地贯穿整个色彩艳丽的坝子，留下一簇簇的小树林以后，就消逝在东边一条狭窄的山谷之中了。每一座开满鲜花的小村，都蹲在猛腊河的一个小湾儿里，天地之间静极了，似乎只能听见河水的低吟。我催马跑下山来。好热！好香啊！香气扑鼻。渐渐，迎面的山峰上缓缓飘落一片白片，白云很快就扩散为薄薄的雾霭。突然，阳光熄灭了！太快了！我一点儿准备都没有。太阳哪怕先闪动一下，或者渐渐地暗下去了也好呀！它一下就坠落了！只在西边山顶的上空，留下一片胭脂，而且很快就黯淡了。当我正在遗憾的时候，天空中越来越多地闪现出又亮又大的星星。我从来都没看见过这么亮、这么大的星星。我仰着脸想估算一下天上到底有几万亿颗星星。啊！我越是定睛看过去，越是觉得那是无法估算的。它们并不是平铺在一个层面上，太空的纵深还有无穷无尽的星星，看起来越远越小，实则是越远越黯淡罢了。为了不惊扰这静谧的幽香世界，我扣紧马勒，让座下马缓缓前进。马儿好像明白我的意思，四蹄的起落都很轻盈，而且是踏在柔软的田埂路上，没有声息。我此刻有一种盲人进入天国的愿望：要立即清清楚楚地看到我已经进入了崭新世界。虽然我知道，这一愿望的实现，要到太阳巡视了地球另一面的每一个角落以后，重新再次在东方升起的时候。无怪古人有秉烛夜游的激情。可是，即使有一支红烛，一朵烛火能照亮多大一块空间呢？我十分无奈地叹了一口气，听任座下的小马把我驮到任何地方去。我在静静的黑暗中，享受着热风送来的浓香。蓦地，啊！田野像欢歌一样飞起亿万盏萤火，那么密集的萤火！在低空中形成一片绿荧荧的光晕，冲淡了夜色，使大地万物都若有若无地显现出来，如同置身于银色的梦境之中……我打心底里由衷地升起一种感恩的情绪，凭着20岁的敏感，隐隐约约意识到：这一瞬不正好是一首诗歌的第一句吗！是的，它不仅是某一首诗歌的第一句，后来，它几乎是我每一首诗歌的第一句，只不过我没有用文字写在每一首诗歌的卷首上罢了……

儿时的季节

昨儿还热得像初夏，今儿就入冬了。我突然想到今年好像缺了点什么，可到底缺了点什么呢？闭上眼睛想想，啊！对了，是蟋蟀。为什么没有听见蟋蟀的歌吟天就冷了呢？再想想，不觉哑然失笑，我怎么会想到蟋蟀呢？真是返老还童！这是儿时的感觉呀！

我记得，儿时的季节不是按春夏秋冬的顺序排定的。春天是燕子季，夏天是蝈蝈季，秋天是蟋蟀季，冬天是乌鸦季。我的童年都是在故乡小城里度过的，从家里走出来几分钟就是城门，出了城门就是田野。即使是日本侵略军占领时期，季节也还是分明的。燕子吱吱叫着飞来了，落在门楣上，偏着头揣摸着主人们的态度：今年还会让我们俩夫妻在这儿生儿育女呢？主人们善意的笑容使得它们欣喜若狂，立即千百次地飞来飞去，衔泥筑巢，忙碌不已——这就是我的燕子季。孩子们成群结队地奔向刚刚返青的草地、树林和山溪，追逐蝴蝶，捕捞蝌蚪。当小燕子能够飞出巢，和老燕子一起捕捉小飞虫的时候，田垄的蝈蝈叫了。蝈蝈季宣告开始，孩子们更加放任和自由了。除了在水里打扑嗵的时间，就是编蝈蝈笼，捉蝈蝈，喂蝈蝈，赛蝈蝈。

蝈蝈的热闹伴随着我所有的欢乐与痛苦。当蝈蝈不再振翅欢唱的时候，墙缝里出现了新的、彻夜不倦的歌手，那就是蟋蟀。蟋蟀季更加热闹，它能够让孩子们忽略了桂花的清香，无视枫叶的艳丽。白天，孩子们集中在街角里，竞相展示各自拥有的五虎上将，蟋蟀的战斗打得难舍难分。一天下来，有人欢喜有人愁。残兵败将虽然缺了胳膊断了腿，却因祸得福，有了自由，爬到某一块瓦片下寂寞地舔着自己的伤，连呻吟都没有，所以再也不会被征召入伍了。夜间，我和孩子们不约而同地走进坟地。因为大家都认为坟地里的蟋蟀，十有八九都是猛将。那时我是个最怕鬼的人，但一听见蟋蟀的歌唱，就把鬼给忘掉了。我弯着腰，专心致志在侧耳倾听。从它们的音色和音量去发现赵子龙式的英雄。有时是为了复仇，像燕太子丹一样，苦苦地寻找着“荆轲”。有时是为了保持霸主地位，召募战略后备队。第二天又是一场场血腥的格斗。夜晚越来越寂静了，一出门就冻得打哆嗦。在撒尿都尿不出一条直线来的时候，我——不但是我，所有的孩子对蟋蟀的热情都骤然冷却。田野渐渐空旷了，不知道哪儿来这么多的乌鸦，哇哇叫着在光秃秃的、收割完了的田地里迈着方步。大人们最反感这些黑色的鸟，听不得它们的喊叫。孩子们才不在乎呢！从家里偷点粮食装在衣袋里，在野外喂乌鸦，喂得很吝啬。与其说是喂，不如说是为了引诱它们越来越多地尾随在自己的身后，过过大军统帅的瘾。特别是落雪天，一个孩子率领一支黑色的大军，浩浩荡荡地在洁白的雪原上挺进。请想一想，那黑白分明的画面，多么威武！多么雄壮！又是多么美啊！

孩子们的季节不是按春夏秋冬的顺序排定的……看来今年（应该是许多年）缺少的不只是蟋蟀，还缺少燕子、蝈蝈、乌鸦以及曾经在童心中留下过无穷乐趣的一切……

雪原上的落日

1948年，淮海平原上的第一场雪从凌晨开始，一直落到下午4点才渐渐止住。而且西半部的天空现出了一片蓝天，太阳也从云层中飞了出来。这变化在冬季是很少见的，如果不是刺骨的寒风和无垠的积雪，我会以为这是夏秋之交。在下雪的时候，阵地上安静得让人感到奇怪，连一声枪响也没有。可能双方的士兵都被雪花飘落的景象迷惑住了，雪花洁白晶莹而无声，温柔地抚摸着每一个人的脸，毫无偏见，一视同仁。只有观察哨上的士兵才会严密注视着对方的动静，他们从望远镜里看到的只是漫天飞舞的鹅毛大雪。阵地上的一些固定目标，如：那个被烧焦了的敌军尸体，在此之前，他一直用他那像枯树枝似的四肢指天誓日。还有一段连着窗框的半截土墙，一辆散了架的卡车，包括蛛网似的战壕，全都看不见了。对峙着的战场就像等待春天的田野，白雪下的土屋里不是即将决战的大军，而是绿色禾苗的种子。傍晚，全连都作为旅突击队冲进了敌军阵地的纵深。枪炮声越来越远，远得不像是枪声，更像是鞭炮。连长在出发前，单单把我一个人留下了，虽然我心里老大不乐意，也只好服从命令。我的任务是照顾身负重伤的司号员小刘，连长悄悄对我说：他已经不行了，怕过不了今夜……我和小刘很要好，在最冷的夜晚，我们总是共一个被筒。他的胸膛暖着我的脚，我的胸膛暖着他的脚。他负伤后，一直大睁着眼睛。此时，他正仰望着渐渐转晴的天空。我试着对他说话，他没有反应。我想把冰冷的军号从他手里拿下来，他不放手，我只好作罢。等我再站起来的时候，我发现眼前胸墙上的积雪一转眼竟变红了。再一看，整个雪原都成了红色。我非常震惊，那是一种特别壮丽的景象。这时我忽视听见有人在轻轻说话：日头要落了……我环顾四周，一个人也没有。啊！我一下悟到这是小刘的声音。我太高兴了，这是不是意味着他有了转机呢？我立即俯下身子对他说：是的，小刘！日头要落了。可他没有一点儿反应，刚才那句话像不是他说的。我好纳闷儿，明明是他的声音！等我再抬起头来的时候，雪原上的颜色又变了，变成了紫罗兰色。我赶快站起来，多么奇怪啊！雪的结晶反射出一片片红宝石和蓝宝石的光焰。再看太阳，她已经离地面只有一尺多高了。太阳温和得像是根本不会发光似的，悬挂在远远的天边。那是一颗多彩的太阳，她的上缘是银白色的，中间介于红色与橙色之间，下缘是紫色的。我很想让小刘也能看看，但我不敢搬动他，因为他的伤口在腹部。我只能对他讲：太阳正在一分一分地向下落……快接近雪地了！远远的雪地上像着火了一样，冒着一片蓝色的火苗。……我看一眼太阳，再回头看一眼小刘。他好像也在看我，并希望我说下去。我继续说：就要落地了！她像是被挤扁了的蛋黄，成了椭圆形，颜色更淡了……这么快！现在又成了一张很窄的红柳叶……又被扯直了，成了一条细线。我再回头看小刘的时候，他的脸由于光线渐暗而渐渐模糊了，但是他的眼睛还是睁着的。当我再抬头眺望天际的时候，那一条橙色的线，已经变成了一片朦胧的光晕，天地间的光之源完全沉没了！镶银边的紫色的大地立即显得凝重而神秘。我的心突然莫明其妙地一阵悸动，使我不得不立刻转身再看看小刘，正好天上划过两颗曳光弹，他的眼睛分明是已经闭上了，但我不相信。我蹲下来贴近他的脸，还用手摸了摸，证实他的眼睛的确是闭上了……也停止了呼吸。

往常，我很害怕单独和死去的人呆在一起，而这一次我却一点儿也不害怕。因为我觉得他的眼睛还会重新睁开，就像太阳明天还会照常升起那样……

笑　容

如果有人问我：你在战争年代印象最深的一个人是谁？我会回答说：是一个女人，严格地说，只是一个女人的笑容。我不知道她叫什么名字，而且只有一面之缘。那年我只有18岁。一个夏秋之交的早晨，灼热的太阳还没升起，割了麦的田垄上漂浮着一层淡蓝色的雾气。中原战场在没有枪炮声的时候仍然是一派和平景象。我们旅是天蒙蒙亮出发的，这几天我们天天都在行军，看样子是在向淮海平原移动。每天我都愿意跟着先遣侦察分队早走一步，到了下午，即使累了、掉了队，也不会拉得太远。我要沿途写标语，在墙上画宣传画，理所当然地可以游离在队列的前前后后。那时要负荷背包、挂包、干粮袋、手榴弹、手枪，再提一只颜料桶，真够沉的。早上凉爽，显得特别轻松。当我刚刚走进一个村口的时候，就闻到刚出笼的新麦馒头香，那香味真能要了我的命，一个饿着肚子走了30里路的小兵。我加快步子走出村，想逃开诱惑。蓦地从村里奔出一个年轻俊俏的嫂子，喊着："小弟！别走那么快！等等！"我绝想不到她是在喊我，只顾走自己的路。不想，她一把抓住我的手臂，把她围裙里兜着的四个大馒头硬塞进我的挂包里。我急忙伸手往外掏，她用双手按在我的手上，一双水灵灵的大眼睛似怨似嗔地看着我，那样近。像是我一出生她就在我身边照应我吃喝似的。我没有力量拒绝她，松了手，她笑了，笑得真美。一笑之后就转身跑了，等我回身看她的时候，她已经消逝了，不知道她进的是哪个门。这时，山炮连走过来了，山炮连连长笑着问我："这个村是你的家？""不！"。我摇摇头。"我都看见你嫂子了，她往你挂包里塞馒头，人真漂亮……"我点点头。我是承认她漂亮，连长以为我承认她是我嫂子。"到了家就别急着走，要不要我帮你去请个假？"我摇摇头，闪在路边，一方面是让山炮连那些驮炮的高骡子大马先过去；另一方面是我已经憋不住想哭了。我接着就跑到一座麦秸垛背后捂住脸抽泣起来，但不敢出声。一个陌生人为什么对我像亲人那样？径直朝我——一个兵走过来，抓住我，喊我小弟？谁看到这情景，都会产生山炮连连长那样的错觉。我当然知道，她并不认识我，她认识的是我们这支军队的整体。我也不认识她，我只知道她是普通基层人民中的一个，同时我又把她当做人民的整体。从那一刻起我就断定：我们很快会战胜还很强大的敌人。果然，那年年底，为中华人民共和国奠基的淮海大战便大获全胜。总攻后的那个夜里，我在空旷的战场上，守着堆集如山的枪炮、坦克、车辆，突然想到了她的笑容，我无端地大声号啕痛哭起来……直到今日，她的笑容仍然鲜明如昔。

友情醇于酒

我记起80年代初在滇西北白马雪山上和一位故人重逢的情景。

我已经有30年没有到滇西北了，这次来没有任何工作上的目的，只想旧地重游，看看老朋友。但是当我乘车沿着金沙江进入藏区的时候，发现人、物全非。我认识的那些高大的云杉，宝塔似的雪松，绕着山腰的杜鹃花带，都看不到了。进了自治州首府中甸城，满街都是陌生的面孔。30年前，全城大人、小孩子没有一个人不认识我的。当然，那时候的中甸城很小，牛羊比人要多得多。

我要打听的第一个人就是甲错，他是从昆明陪我到中甸来的。后来他又和另一位叫培楚的青年（他们都精通藏汉两种文字），陪我游历了滇西北和藏东许多美丽的雪山、草原和高原湖泊。骑着马，带着帐篷，像游牧人似的，每天都睡在林中雪地上，也从不觉得冷。好像没人能够回答我甲错在哪儿，藏族男人叫甲错的很多。问了至少30多个人，尤其是老人。我向他们详详细细说了当时他的样子和他住的地方，他的父亲叫什么，母亲叫什么，妻子叫什么……后来，刚巧碰到他的一个老邻居，不仅明白了我找的是谁，也记起了我。他告诉我：甲错很不幸，他在“文革”中被关了好几年。在这个期间，他的妻子卓玛（我依稀还记得她的样子，一个腼腆的山里姑娘）被医生诊断为麻风病。“文革”后，甲错又结了婚，而且生了孩子。麻风病院才发现对卓玛一开始就是误诊，她根本不是麻风病。而家庭撕碎了，重新缝合的又是另一块骨肉！悲剧已经无法挽回。我很想马上见到他们，但是我见不到，甲错为修地名志到深山里做调查去了。虽然已经进入了6月，雪还封着山间小路，而且那里没有电话。

我接着就打听培楚的去向，他们告诉我：很不巧，他出差到德钦县去了。隔着一座白马雪山，更没法见面。唯一的可能是可以通电话。我果然通过电话找到了他，他呜咽着在电话里只说了这么几句话：“你从中甸出发，我从德钦出发，在白马雪山上见。不见不散！”说罢就挂断了。我和小司机商量，他皱着眉头说：“够呛！试试看吧。”我们立即风驰电掣地上路了，赶到离雪山顶峰10公里的地方，看见有50多辆卡车排队搁浅在公路边。100多个卡车司机挤在五六间路边小吃店里，见我们开着一辆小吉普竟要去闯还封冻着的白马雪山，一个个露出讥讽的笑容向我们走来。小司机可怜巴巴地看着我，我动摇了。这时，一个让卡车司机们更加惊奇的事情发生了：一辆拖拉机喷着黑烟从西向东威风凛凛地开过来，卡车司机们向上翘着像月芽儿似的嘴全都变成了鸡蛋。拖拉机还没停稳，一个小老头急匆匆地跳了下来。走近了，我才看出他就是培楚（和当年在骏马背上的那个英俊青年可是相距太远了），他奔跑着投入我的怀抱。当我们搂抱着走进一个小吃店的时候，他向店主人大声叫着："拿两碗酒来！"店主人没有回答，只摊开了双手。可想而知，这么多卡车司机，在这儿困了3个昼夜，有多少酒也能喝光。培楚又大叫了一声："拿两碗水来！"店主人应声端来两碗清水。我问他："怎么样，这些年？"他把一只碗递给我，自己也捧起一只碗："老弟！无论多么苦、多么长的岁月，在好朋友面前，一碗酒下肚，也就全都给冲光了。"他含着泪，一饮而尽。我明明知道我们的碗里是水，他当然也知道……

班 长

人的一生就像一条走着的路。路，当然是可以由行路人自己选择的。可即使你选择的是一条坦途，走着走着也会出现曲折坎坷，甚至塌方、断桥……谁也难以有永远正确的预见。特别是战乱年代，普普通通的人都是九死一生。九死而能一生，往往是遇到了贵人，贵人并非高贵的人，也是普普通通的人。谁都会碰到艰难困苦，常常需要有人领路，或伸手拉你一把，或推你一巴掌，你就过去了。他也许是举手之劳，你可能因此而绝处逢生。

我参军的时候才17岁，从课堂上一步跨上了战场。说实在的，我懵懵懂懂的并不觉得害怕。我的第一个兵种就是通信兵，第一次行军作战就是夜晚。我的班长把我安排在他的背后，他告诉我："跟紧！别掉队！掉了队不但是你倒霉，从你开始，后面的队伍就断了，那可是误了大事。"我连连答应，以为这太好办了。谁知道队伍一起步就一路小跑，秋天雨后的山路，一步一滑。我眼前的班长一开始就和山林重合在一起了，根本看不见。我瞪大了眼睛也只能看见一个忽隐忽现的黑影，我很惊慌地喊了起来："班长！"班长只压低嗓门儿喝斥了我一声："别出声！"我学着他压低嗓门儿说："我看不见!"班长没有回答我，但我的眼前猛然一亮。他把一条白毛巾别在自己的背包上，虽说只是一团灰蒙蒙的影子，在当时，那就是我心中的一盏明灯，突然大放光明。那年中原第一场雪就积一米深。班长带着我去架线，每一迈步就像掉进了桶里。我一只手提着马灯，另一只手抓着线拐子，很难从雪洞里爬出来。班长把马灯从我手里接过去，问我："你见过鸡在深雪里怎么往前走吗?"他一句话提醒了我，我笑了："我懂了。"鸡在深雪里是用两个翅膀拍打着一跳一跳往前走的。于是我用我的双臂拍打着一跳一跳地前进了。速度加快还可以不必陷那么深，我开心极了。我对班长说："以后就跟着你。"班长没说什么，只嘿了一声。不久，在一个夜间攻坚战斗中，我和班长跟着前敌指挥所向城垣运动的时候，那是一片开阔地，敌人城头上火力特猛。班长总是利用敌人射击的短暂间歇，突然一个冲刺，至少30米。我常常会把握不住机会，一次错过，就会拉下很远。更加倒霉的是，我会受到敌人最严密的封锁。班长在当时是很生气的，眼睛瞪着我非常可怕："你怕死!"我很委屈：怕死？说得太重了，有点儿胆怯是真的。两次战斗下来，他心平气和地对我说："我知道你的毛病了，在敌人射击的时候，姿势尽量低是对的，可你必须睁着眼睛，看清敌人的弹着点、你将要冲刺的路线和路上的地形地物。同时以最快的速度选好你下一次卧倒的地方。"在以后的夜战中，我就按他说的办法做，果然很成功，自信心也随着增强了。在战场上有了自由的滋味可是太美了！他还告诉我：白天在开阔地冲锋的路线要成S形。这位农民出身的战士认识的唯一的一个英文字母，恐怕就是这个S了。回想起来，如果不是我的班长处处给我指点，战争那段路，我能顺顺当当、平平安安地走过来吗？当然不能。

其实在和平时期的路就不需要一个班长了么？应该说更需要。但难就难在他和你不在一个生死与共的战斗建制之内。

上海的法兰西风情

过去了将近半个世纪以后，近日，街头咖啡吧又在上海淮海路重新出现了，立即成了一个景观，一则新闻！它理所当然地会勾起老上海的怀旧情绪，引起年轻人的新鲜感。其实，不管从哪个角度来看，它早就应该出现了。即使是为了给街头行人一个歇息的角落，也是必要的。

有人著文把上海的街头咖啡吧称之为：法兰西风情。是的，法兰西的街头咖啡吧遍及全国。说起法国和咖啡的关系来，首先要回溯到1657年，那时的巴黎圣日尔曼德培区，刚刚由一个围绕着圣日尔曼修道院的村庄形成拉丁区内的文化中心。有一个阿美尼亚人在那里开了一个咖啡商店，后来他把这个店转让给了意大利人波克夫，波克夫就在原址改成了一家咖啡馆。此后，"波克夫"就声名显赫起来。先是受到一群皇家演员的青睐，进而在它的对面建立了一座最早的"法兰西喜剧院"。据说，1689年第一场的演出一散场，"波克夫"就爆满了。之后，那里就成为观众热烈争论戏剧的场所了。到了18世纪，大思想家伏尔泰、卢梭、狄德罗等人定期在"波克夫"聚会。他们争论的是哲学，曾经为了一个命题，争论过一个月之久。在伏尔泰们以后，就是轰轰烈烈的大革命时期的铁血领袖们，如罗伯斯庇尔、丹东、马拉经常在这里聚会。他们争论的是政治，他们的争论往往达到剑拔弩张的程度。19世纪的“波克夫”座上的常客则是伟大的作家巴尔扎克、左拉、波德莱尔、王尔德等人了。我想，他们的争论一定会和缓得多，甚至不需要争论，因为这些文学大师各自都有各自的风格。和咖啡馆同名的文学刊物《波克夫》就是在那时创刊的。我曾三次访问巴黎，每一次都要去“波克夫”坐坐。虽然楼上的全部和楼下的一半已经改成了餐厅，楼下还有一小间保持着往日的格局，壁上挂着思想家们的肖像，写有他们的语录。我有一种坐在舞台上的奇妙感觉，面对着小小的一杯咖啡，滤掉现实的杂音，想象着在这儿上演过的一幕又一幕波澜壮阔的历史故事，倾听早已远去了的哲人们的声音。

另一家吸引我的咖啡馆是圣日尔曼教堂对面的“德·马格”（俩华人），因为店面正中挂过一幅名为《俩华人》的油画而得名，画已丢失，现在顾客们看到的是两个木雕的华人。本世纪初叶它一度是出售中国绸缎的内衣店。20年代，这里曾经是以安德烈·贝列顿为首的超现实主义作家、艺术家们的大本营。其中有大名鼎鼎的阿拉贡和达利等人，而且创立了延续至今的“德·马格文学奖”。它的隔壁有一家名为“德·芙萝”（花）的咖啡馆，“花”也有过自己的辉煌年代，19世纪后期，纪德、福楼拜、乔治·桑是“花”的常客。二战以后，围绕着“花”的则是以萨特和西蒙·波娃为首的存在主义者们的核心人物。法国文人本来就有在咖啡馆里写作的习惯，战后燃料奇缺，使得萨特和他的伙伴们更加离不开“花”了，每天，一开店门，他们就来占领靠火炉的座位。在圣日尔曼教堂响起晚祷钟声的时候，他们才清理满桌满地的稿纸，起身回家。今天，他们常坐的座位已经钉上了铜牌。顾客们往往为了争得他们之中某一个人的座位，引以为幸运。我只在这个咖啡馆喝过一次咖啡，但却常常从它门口经过。“花”座落在圣日尔曼小广场的街角上，我有一位好友克劳德就住在它旁边的一条小巷里，当代作家玛格丽特·杜拉斯是他们的芳邻。巴黎人几乎都有自己心爱的咖啡馆，称之为“我的咖啡馆”。“我的咖啡馆”离我的住处并不近，相反，往往远得很。法国咖啡是大众饮料，很便宜，咖啡馆才遍布全国。只要不是冬天，桌椅一直从室内摆到街边上，特别是在碧蓝的地中海沿岸的海滨城镇。既没有“最低消费”的规定，也没有时间的限制，常常有人只要一杯咖啡，也可以坐在那里消耗半天的时间。在今天的法国，仍然可以看到在咖啡馆里写作的学者和大学生，他们都有闹中取静的本领。我在50年代初期，也有这种本领。我的一些早期作品就是在滇南某边城、唯一一座越南人开的咖啡馆中写成的。

为什么上海人见到街头咖啡吧的出现，就会想到法兰西风情呢？大概和上海曾经称为“东方巴黎”有关吧。“风情”两个字，在古代指的是个人风采，甚至是男女情爱。后来的含义就越来越丰富，其中至少包含有风尚和情调在内。外语里实在很难找到相同的词，一提到“法兰西风情”，人们几乎都能意会，而又有多少人能够言传呢？我想，能够意会就够了。

站着写诗的歌德

此身合是诗人未？
细雨骑驴入剑门。

这是宋代诗人陆游在《剑门道中遇微雨》一诗中的慨叹。我想，所有的诗人都会有相似的慨叹。因其生活经历的不同而有各自不同的吟咏、写作习惯。三国的曹操戎马倥偬，横槊赋诗，其情其景，悲壮苍凉。李白斗酒百篇，天子之召，醉而不应。陈子昂临风泣涕，感时伤事，悲今怀古，长歌当哭，一发而为千古不朽之叹……李贺常骑驴徘徊山水间，沉吟于驴背，将燧发之灵感所得记而投入箧中，如采奇花。杜甫无时不在苦思冥想，以至“语不惊人死不休”。李清照每每呕心沥血，“诗情如夜鹊，三绕未能安。”个中甘苦，唯诗人自知。

那年我访问德国莱因河畔的法兰克福，有幸瞻仰18世纪伟大诗人歌德故居。诗人生前旧物，最使我难以忘怀的是一张乐谱架似的台子，约有1.3米那么高，斜坡形的台面。讲解员告诉我说：这是歌德写诗的专用桌子。我非常吃惊：这么高，坐在哪儿呢？不！他是站着一挥而就的。歌德在1775年之前，除了去莱比锡和斯特拉斯堡大学学习之外，都住在这里。那时，他出版了《新诗集》，创作了诗《普罗米修斯》，并构思了伟大的《浮士德》和许多诗篇。难道就是站在这儿?!我向讲解员提出了一个非份的请求：在歌德站着写诗的桌子旁拍一张照。对于讲解员来说，这是很为难的。因为参观者一进门就能看见展览馆的规定，其中之一就是：禁止拍照！陪同我的德国朋友对讲解员说：这是一位中国诗人，他很不容易才能到德国来一次。讲解员笑笑，然后捂着自己的眼睛说：我根本没看见。因而我能够在歌德站着写诗的桌子旁拍了一张照。那是一张十分珍贵的照片，它将永远提醒我：写诗应该站着！如果你觉得站着太累，就不要写。后来，隔了四年，我才有机会去魏玛参观歌德博物馆。那是歌德住得最久的地方，是一座很巍峨的府邸。门前有一个当时很大、现在显得并不太大的广场。讲解员深情地向我们描述了1832年3月22日（他曾在83年前的这一天出生）歌德逝世那一瞬间的情景：他坐在沙发上似睡非睡地半躺着，但他的思想并未入睡。开始在空中写起来，直到他的手慢慢地放下来，激情贯彻终生的歌德与世长辞了……在场的人都觉得他刚刚写出的是一个“B”。而以“B”开头的德文字句可是太多了。直到今天人们还在猜想：他写的是一行怎样的诗句呢？——在一个春意盎然、阳光明媚的上午。

星之光

伊莎贝尔·于贝尔这个名字对中国观众很陌生，因为法国影片很少有机会到中国来放映。6月27日下午我得到两张上海商城剧院的票子，要看的是两部伊莎贝尔·于贝尔主演的影片。映前，伊莎贝尔·于贝尔在法国驻沪总领事陪同下和观众见了面，还讲了几句话。我的座位离舞台很远，看不清，我只觉得她是一个个子很矮、黯淡无光的女人，哪里像是一个明星呢？她讲完话，只得到一位比她光采得多的上海女士的一束花，这当然是出于礼貌的安排。

先放的一部影片叫《女人的事情》，描写的是法国在第二次世界大战时期发生过的一件真事：一个私下里为妇女堕胎的女人，被自己的丈夫告发，入狱并判处死刑，上了断头台。敌伪当局告诉她：堕胎关系着政治。伊莎贝尔完全是一个普普通通的妇女，在影片——或者说在历史中经历了一段普普通通的生活，在一个荒谬的时代，一个荒谬的理由，使她走向一个悲惨和茫然不解的结局。第二部是根据福楼拜名著《包法利夫人》改编的同名影片。包法利夫人是一个人所共知的文学人物，每一个读者心目中都有一位包法利夫人。伊莎贝尔却以她面对希望和失望的颤栗让人们相信：她就是包法利夫人。当晚，我应邀参加法国驻沪总领事馆为伊莎贝尔·于贝尔举行的晚宴。在伊莎贝尔到来之前，我正在倾听法国驻华使馆一位文化官员和我介绍她和她的影片。他告诉我，伊莎贝尔每拍一部新片都要引起一次轰动，她已经在观众心中震撼了20年。我们正交谈时，从门外走进来一个法国妇女，带着一个4岁的男孩和一个8岁的女孩，她穿着一套很像中国人20年前人人都穿的灰制服式的衣服，裤脚有些宽的长裤，平底鞋，脸上没有涂抹任何化妆品，亚麻色的头发没有一点光泽。我以为她是一个法国驻沪人员的家属，所以没欠身站起来迎她。当总领事梦飞龙先生向客人介绍她的时候，我才猛地醒悟过来，她就是伊莎贝尔·于贝尔。我原以为她一定会穿着最时新的晚礼服，浓装艳抹、珠光宝气地走进来，使客厅为之一亮。因为法国时装和化妆品是世界之冠，她怎么可能就这样拖儿带女地走进来了呢？一个大明星？我走近她，和一个从银幕上走下来的人面对面，仔细地看着她的脸，她说不上漂亮，但很美，是那种质朴的美。我无拘无束地和她攀谈，谈她的包法利夫人，赞美她的表演，她没有丝毫做作的谦逊，而是当之无愧地笑着回答我：是的，那正是我要达到的。她问我写些什么作品，我向她做了简单的介绍，并且告诉她法国出版过我的小说。她要我告诉她什么出版社，她说一回巴黎就去买来读。宴会开始以后我才知道我的座位就在她左侧。中国客人中也只有我看过她的影片，进餐的时候我们又继续就电影、演员和表演等问题进行了交谈。她的小儿子不断离开他自己的座位向妈妈表示亲热，他的父亲——一个和伊莎贝尔差不多高的男子，一次又一次地把儿子抱回去。女儿却文静地坐在另外一席，远远痴情地注视着妈妈。伊莎贝尔通过梦飞龙先生向我提了一个问题：近百年有没有一位性格独特的西方妇女，在上海有过一段有趣的经历？一个真实的人？我只能回答说：可能有。她说：我很想在上海拍一部影片，我特别喜欢扮演一个真实人的经历，我可以像她那样走进她的世界。我相信伊莎贝尔的愿望是诚恳的，我答应去为她询问一些熟悉过去上海生活的人。

次日下午，我又接连看了两部伊莎贝尔主演的影片，一部是《花边女工》，是她比较早的作品，影片述说的是一个女工和一个知识分子相爱结合的故事。伊莎贝尔有极朴素的细腻的表演，使我感到惊奇的是：她在很早的时候就确立了自己的风格。第二部影片是《茶花女》，我原以为是小仲马笔下的茶花女，结果并不是，而是另外一个妓女的故事。伊莎贝尔在影片中从一个贫困少女演到一个艳妇，可以说光彩夺目，她在一个多小时的时间里，以极为真挚的激情创造了一个真实女人的一生。片头有一段歌剧《茶花女》的排练，片尾女主人公之死不断切入剧院演出的歌剧《茶花女》里玛格丽特之死。玛格丽特死在雷鸣般的掌声和大人先生们同情的赞叹中，（这些大人先生们很多都是生活里的茶花女的嫖客。）而那个也被称为茶花女的可怜女人却在寂寞中痛苦之极地死在一个男佣的怀里。看完《茶花女》之后我完全明白了：伊莎贝尔·于贝尔生命中的全部光华都聚集在她的心灵里，在艺术创造的时候才毫无保留地拼命释放出来。而大量的所谓明星则只能借助身上那些闪闪发亮的玻璃珠或金属片在放射光芒。

长者·智者

——记柯灵先生

柯灵先生长我21岁，是我的前辈。我在半个世纪以前就读过他的文章。小时候，一篇《苏州拾梦记》使我多年难忘。柯灵先生在那篇文章里记的是他陪同实为婶娘的母亲回苏州，在沾衣微雨中寻找她失落的梦。老人家少小离乡，赶往远在北国的潼关，去践一个婚约，在那个陌生的地方，等待她的是一个垂危的陌生男子（柯灵先生的叔父）。新婚一月即成新寡，“受尽风浪”。“维系她一线生机的，除却生命的执著”，也就是柯灵这个过继来的儿子了。柯灵先生在抗战前夕陪同母亲回到悠悠50年后的姑苏，竟把她50年前闺中女友找到了，虽然俱已鬓上飞霜，相对唏嘘……柯灵先生怀着深沉的爱和同情，细细地叙说着飘过了无边苦海的母亲的奇遇，感人至深。我因为较早投入电影创作，和柯灵先生相识也有些年数了。由于种种主客观的原因，总也没能从容地侍立在他面前聆听教诲。见面时只是相向颔首一笑，他的笑容总是很亲切的。我误以为是由于前些年知识分子屡屡因言获罪，不少前辈都是他的老友，或许因此而沉默寡言，久而久之，成了习惯。我在60

年代初曾在柯灵先生的故乡绍兴种过一年水稻。绍兴是个文人荟萃的地方，且文风犀利、幽默。即使是舟子、纤夫，个个都能给你讲出比航程还要长的笑话，使你一路轻快。我们从徐文长、鲁迅和柯灵先生的作品里完全可以感受到绍兴的民风。

前年，有幸和柯灵先生同在杭州灵隐“创作之家”写作，每日进餐与先生同席。中秋之夜，围坐在丹桂下，饮龙井，吃月饼，才发现柯灵先生既风趣而又健谈，使我大吃一惊。他非常敏感地觉察到我的误会，他说：“我本来就是很活泼的，因为耳聋，人显得沉闷、呆板。听不见别人的声音，当然木讷。配过好几个助听器，有的声如雷震，有的又弱如游丝，时继时续，只好搁置不用。最近一位朋友从香港又给我带来一个，不错，刚刚好，声音适中，也可以调节，所以我又显得活泼了。”接着他又说了一连串关于耳聋的笑话。“朋友想来看我，很难。打电话来，如果我独自在家，根本就听不见铃声。访客登门，对不起，敲破了门我也听不见。唯一的办法是先给我写信，约好某日某时到舍下来，我届时在门前恭候。有一次，一位不相识的客人来访，我如约端了一把椅子坐在门前，一边看书，一边候客。左等不来，右等也不来，我以为来人因故爽约，只好回房重新关上门。后来才知道客人来过了，从我身边走过，登堂入室，不见人，又从我身边走了。这真可以叫做失之交臂……”说得在座的作家们和工作人员好一阵笑，我想，柯灵先生所以老来笔健不输少年，不正是因为他至今都保持着如此幽默和风趣的心态吗？幽默风趣之溪，源于智慧之泉。智者也！

歌吟者辛笛

上海的作家仍是幸福的，我们有一个全国作家艳羡不已的历史条件。那就是，我们有一批可爱的、受人敬重的老前辈。他们硕果累累，仍然挺立着苍劲而坚强的躯干，开着花，结着果。他们勇敢而艰辛的跋涉，一直是我们为学步而仰望的巨人。我可以举一大串让人景仰的名字：巴金、柯灵、西彦、元化……诗人辛笛就是他们之中的一位。

辛笛是这样的诗人，他善良、敏锐、深沉。在经历了漫长的风霜雨雪之路以后，他的诗依然像星光那样，没有眩目的光芒，只有永远的希望和忧伤。他的诗没有矫揉造作的无病呻吟，没有螺壳里的热闹，没有戏弄语言的轻浮，没有自私的冷漠。有的是历史车轮在土地上轧过的轨迹，有的是高尚的慨叹和深刻的思想。这样的诗人，他的心灵和诗都是沉重的。

人当然应该轻松地活着，可假如人人都很轻松，谁负荷这沉重的生活呢？难道永远是那些不知道轻松、也不知道沉重的人们么？他把沉重当做命运的赐予。为了这沉重还得向轻松愉快的人千恩万谢。只有像儿童一样纯洁的诗人，才能在童谣般的诗歌里注入深邃的哲理：

我有一分气力总还要嚷、要思想

向每一个天真的人说狐狸、说豺狼

——《回答》

辛笛善于用最简练的语言描绘一幅幅情景交融、美丽而奇妙的图画。

风帆吻着暗色的水

有如黑蝶与白蝶

——《航》

城下的路是寂寞的

猩红满树

——《秋思》

辛笛也像他年轻时的朋友艾略特一样，终生都在寻觅对人生的回答。有时他以为回答是简单的，有时又长时间沉浸在困惑之中："心沉向苍茫的海了。"一个在风景中能看到病态的诗人，老来能得到闲适么？但辛笛即使在痛苦和失望时都保持着淡泊和宁静，向浮躁的人世间投以悲悯的目光。在旅居海外的现代派诗人顾城杀妻自尽后的第二天，辛笛给我打来一个电话，除了证实这条消息之外，他只说了一句话："诗人！要自重，共勉。"他当时就做出了自己的判断。一句话比后来许多议论文字都要鲜明。

辛笛应该算是中国第一代现代诗人了。他的为人和他的歌吟告诉我们：即使你自诩为天才诗人，你也没有对这个世界和自己不负责任的特权。

歌唱者本身也是一支歌，歌能让人愉悦、痛楚、忧伤，甚至悲哀，但绝不能让别人受伤害，让人们从你的声音里为人类感到羞愧。辛笛的诗不仅让我愉悦过、痛楚过、忧伤过、悲哀过，同时也让我感到骄傲，像我读中外古今所有优秀诗篇那样，为人类的智慧和深情感到骄傲。辛笛已经 82 岁了，他仍然翱翔于碧空，俯瞰着大地，默默酝酿着他的那支最完美的天鹅之歌。

可敬的普通人

在生活中，有时我们看见一个人特别卖力地表演某种角色，会觉得很可笑。可是我们自己往往也会着意去表演某个角色，乐此不疲而不自知。

50年代初，我经常在北京西单一个湖南饭馆曲园看见一代绘画大师齐白石先生。他每一次都坐在一张靠边的桌子旁，默默地吃完一碗汤粉，向店里人轻声道谢以后，就在家人的搀扶下离去。那时他已经是世界级的名人了，他始终保持着一个普普通通的湖南老人本色，一生乡音未改。他安详地生活在他自己的世界里，他的世界里尽都是生动活泼的草虫；透明的、随时都会跳出水面的小虾，绿生生的白菜，洁白的鸽子……一般来说，白石老人不送画，只卖，价钱非常便宜，一尺见方才9块钱。一位为他拍过纪录片的电影导演告诉我，他非常荣幸地得到过白石老人的一幅赠画。有一天当他走进白石老人家门的时候，一个邮递员刚好来送信，请这位导演把白石老人的一封信顺便带进去。白石老人一见来信，十分欣喜。因为这是从故乡故人那儿来的一封家书。“家书抵万金”，于是白石老人当场挥毫，给他画了一张画。这是一个发生在现代的、古风盎然的故事。大约是1956年春节，在北京饭店文艺界的联欢晚会上，非常意外地看见白石老人在新凤霞的搀扶下走进会场，周恩来总理急忙迎上去。人们都知道，白石老人不喜欢到热闹场合去应酬。难道这是他的一次例外吗？一会儿，大家就知道了：原来是画家叶浅予成功的化装表演，他身上的衣服和一应物品，倒是真的从白石老人那儿借来的。

俄国伟大作家列夫·托尔斯泰也是这样一位可敬的普通人。我曾经读到过一个关于他的故事，说他有一次在火车站的月台上，刚好有一列火车要开动。车上有位太太喊他："老头儿！快去女盥洗间把我的手提包拿来，我忘在那儿了……"托尔斯泰急忙赶到那儿，找到手提包交给那位太太。那位太太给了托尔斯泰一枚5个戈比的赏钱。等到别人提醒那位太太说："那是列夫·尼古拉耶维奇呀！"那位太太呼天喊地地要托尔斯泰还给她那枚铜钱："我的天，我这干的是什么呀！"托尔斯泰却回答她说："您不用感到不安，您没有做错什么，这5个戈比是我挣来的，所以我收下了。"托尔斯泰经常被人错认为是一个农夫。

问题不在于只重衣冠不重人的人情世态，关键还在于你自己。

我们常常看见某些有地位的人物，为了别人有眼不识泰山而大发雷霆，耿耿于怀。每一个人在出生和死去的时候，谁带来并带走过一个代表权利或财富的头衔了呢？如果他们能意识到这一点，也许会稍稍冷静些……

一件棉军装

我和他已经分别45年了，但他那抿着嘴微笑的样子，并没有因为沉重岁月的阻隔而模糊。常常走入我梦境的他，经过漫长流水般时光的洗涤，身上依然沾满征尘。看起来他仍是那年冬天的样子，脸蛋儿冻得红彤彤的。

只有我知道，他那年只有14岁，是他偷偷告诉我的。全连都以为他真的有16了，他在跟上部队那天起，就赌咒发誓说他属羊，而且是“有犄角的羊”。他跟着我们行军1000多里，营长才骂骂咧咧地同意他在我们连当通信员。那时我军的后勤补给要靠黄河以北的太岳区，在逐鹿中原的野战中，后勤补给经常被敌人切断。一切都要取自敌人，枪炮、弹药、马匹、粮秣……绰绰有余。唯有军装极为缺乏，虽然缴获敌人的被服很多，可新参军的战士谁也不愿意穿敌人的军装。但是，他在当时别无选择。发给了他一件货真价实的敌军将军的制服，那是用高级毛呢精工缝制的，在我军的队列中非常显眼，也不合身，太大。他哭着赖着央求谁能和他交换，谁都不干。那时，用一件崭新的敌军将军服去换一件粗布棉袄，竟比登天还难！他一进入队列就不开心，连长总是指着他说：“你的嘴翘得能挂得住一只夜壶！你是不是人民战士并不在乎一张皮，要看在战场上过不过得硬。”他背着连长对我说：“不在乎一张皮？那……你当连长的为什么不跟我换着穿呀！”

那天傍晚，天上飘着雪花。全连接受了出击任务，单单把我留了下来，在战壕里照顾几个重伤员。我也很不开心，但又不能讨价还价，好歹是个老兵，只好服从。我当着全连大声应着：“是！坚决服从命令！”他很同情我，轻轻地用手捏了捏我的手。在出击前的3分钟，我突然脱下了我的棉军装，递给他。他喜出望外，又不好意思接受。那时候我在冬天除了一件空筒子棉袄以外，既没有绒衣，又没有衬衣。脱了棉袄就是光身子了。我对他说：“你是想让我感冒？是不？”我的热身子已经在索索发抖了。他这才脱下身上的将军服披在我的身上，抱住我，哽咽着在我的耳朵边说：“这一仗，我就是死……”我连忙用手去捂他的嘴，完全来不及了，那个死字已经从他嘴里吐了出来，我一点儿也不迷信，我只是觉得在这个时候就这个字很丧气。他接着说：“出击回来我一定会还给你……”冲锋号突然撕裂雪原上空的静谧，冷丁地让我打了一个寒颤。战士们像出弦的箭矢，一个接一个从战壕里飞出去。他在起跑前的那一瞬回过头来，抿着嘴对我微微一笑，同时还挤了挤眼睛，拍了拍我借给他的棉军装。我完全懂，他的这一笑里既有对我的感激，又有一个许诺，那就是：“我绝不会辱没这件棉军装。”一转眼，他就和全连战友在炮火中消失了！我万万没有想到，他再也没能回来。第二天清晨，连长把我借给他的那件棉军装带了回来，连长告诉我：“这是他在咽气以前，自己脱下来的。我们发现他的时候，他只穿着一件参军时的白单褂。我们给他裹了一床棉被……我知道他的意思……所以我给你把棉袄带了回来。”后来，我穿着这件棉军装参加了淮海战役的全过程，一直到渡江战役之前，春暖花开的时候才脱下来……

话别肃霜

这是不得已的话别，这是痛苦的话别。

肃霜，你真的去了吗？我不敢相信，你怎么会去了呢？你怎么会已经不在了呢？你拥有最健美的体魄，最娴熟的武功，最富有的嗓音，最炽烈的创作热情……去年春天，你和巧珍突然敲开我的家门，由于背光，也由于太意外，我竟会问你：你找谁呀？你劈胸给了我一拳：就找你！你对我说，你这次来上海是和你师娘戴绮霞会面的，多年离散的师徒还能见面！80 多岁的戴绮霞还想和你在大陆组织一场联合演出，你相信，她完全可以重新登台献艺。我记得当年的戴绮霞曾经轰动长江中下游，40 年代末到台湾，又一直红到 60 年代。

肃霜！我第一次见到你们师徒是在抗战胜利的前夕，为了躲避美军对武汉的空袭，许多著名京剧演员转移到我的故乡小城，使我大饱眼福。你那时跟你师娘的姓，叫戴肃霜，只有 17 岁，身材苗条，皮肤黝黑，穿着一件蓝色旗袍，在小戏园子的土台上排练。我是个 15 岁的中学生，暑假期间潜回日军占领下的故乡探望母亲。白天溜进戏园子看你们排练，晚上买不起票，只好翻墙头，靠边站。和你同台演出的有许多名角，如老生关德咸，武生白云亭，花旦戴绮霞……等，给我的故乡小城带来好一阵子轰动。京剧艺术第一次给予我如此强大的震撼。特别是你的表演，使我目瞪口呆，白天见到的那个黑丫头竟成了盘肠大战的罗成，芦花荡里的周瑜，仙山盗草的白娘子。那时日军占领区的城乡居民已经看到同盟国空投的战报，谁都知道胜利在望。站着的观众以双重喜悦的心情，为你们的精彩演出拼命鼓掌。即使座位上面临末日的日军和汉奸也情不自禁地怪声叫好。

1950 年初，我随军到云南，冯牧、苏策告诉我，昆明有一位京剧女演员是个全才，音色美而音域和音量几乎是无限的，不仅演青衣、花旦，还能反串老旦、老生，甚至黑头，而且各个流派的戏全能演。我问他们：她叫什么名字？他们说：叫关肃霜。我立刻想到也许就是你。不久我就见到了你，果然，你就是我认识的那个肃霜，我们谈了很多往事。1952 年我从边防部队调到昆明工作，你为了提高演员们的文化素养，要我为你们全团讲课，我每个星期天上午都要和你们见面。也是那年，程砚秋先生到昆明，他听说你演过程派戏《锁麟囊》，想听听，你连忙说：我怎敢在祖师爷面前斗胆！而程砚秋先生事后对我夸你说：关肃霜好就好在斗胆，没有胆识就不可能在艺术上有什么成就。

你也许还记得，1954 年春天，我在昆明安宁温泉请你和梁次珊吃饭，饭后你忽然告诉我：你父亲不希望你找一个同行，希望你找一个新文艺工作者，像新凤霞那样。我表示赞同。但你说：难呀！可遇不可求。后来听说你和老生演员徐敏初结了婚，虽然有悖令尊和你的初衷，我以为还是很合适的。之后我们的岁月在水火中流过。1979年第四次文代大会我们才重逢于北京，真是隔世相见，你的兴奋只能用雀跃二字来形容。在中国戏校的示范演出，依然光彩照人，不减当年。我第二天写了一首诗，由赵丹写成条幅送给你，至今我都记得最后一句是：谁说年华似水流。你为此当着众人高兴得倒立在条凳上。你善饮，海量，但我们都劝你节制。在这一点上你总是不能做到言必信、行必果。那次在北京，你向我倾诉了你内心深处的痛楚，除了哀叹青春不再，还谈到敏初去世后你的无望的爱情。1982年春天，我重返阔别了20余年的昆明，你要请我在你新修缮的家里吃午饭，按照我的要求，你准备了很多昆明的新鲜素菜：豆苗呀，苦菜呀，鸡棕菌呀，米线呀……我参观了你的房屋，你问我的观感，我说了一句话：你还是个乡下人！连一个洗漱间都没有，在屋外一个小夹道里挖个坑就是厕所。你笑笑说：我不能让公家为我花很多钱呀！你在台上一身绫罗珠翠，生活中不仅不穿时装，到现在你穿的还都是六、七十年代的旧衣服。去年在上海虹桥机场，我向机场服务小姐介绍你是关肃霜的时候，她们都不敢相信，甚至对我说：她好乡气啊！肃霜！我知道，别的女士认为在生活中的形象比生命还要重要，你却认为舞台上的艺术形象比生命还要重要。正因为如此你才为这届艺术节的演出不够成功十分懊恼。肃霜！我不会徒劳地劝慰你，我太了解你了，你只有在艺术上才是个想不开的人。但你应该想到：你在观众心目中的美好形象是不会磨灭的，你扮演了那么多雄姿英发、风情万种的人物，创造了那么多前人没有的武打绝技和唱腔……即使是你感到懊恼的最后的舞台形象不是也很美吗？一个艺术家把毕生的才华和精力献给了观众，力不从心，但做到了不遗余力，虽然意外地唱出了一支哀婉的终曲……

肃霜！我想我还会去昆明，再次去昆明，你还会在大街上大声喊着我的名字向我奔来吗？你还会说那句话吗？每次重逢你都要亲切地取笑我：现在看我的戏可别再翻戏园子的墙了！

和冯牧诀别

8月10日中午，我给在友谊医院护理冯牧的小玲打电话，最后询问她：下午能不能去探视冯牧？小玲告诉我："昨天刚刚输了300CC血，精神还好，你下午3点来吧。"我放下电话，身不由己地颤栗起来，浑身发冷。

首先想到的是小玲，她是冯牧姐姐的女儿，在她刚刚会摇摇晃晃走路的时候我就认识她了。那时我和冯牧都在云南边防军中工作，每当进京开会，都要去探望住在景山东街的冯牧的亲人们。50年代初，冯牧有过一次婚姻，我是那次婚礼的司仪。和他同时结婚的还有一对新人，新郎也是我们的同事，姓路。也许，我真的是个不祥之物。不久，冯牧的婚姻就名存实亡了，从此过着独身生活。路姓同事的婚姻倒是差强人意，他本人却在1957年像我一样成了右派。而且在"文革"中，这位抗战初期参军的老战士想不开，剖腹自杀被救，医生为他缝合了腹腔，他自己重又撕开，毙命。冯牧入城后，多病，严重哮喘。1957年调北京工作，先是他姐姐、后来就是小玲在照应他的生活。直至今日，仍然是小玲在他病榻前后照应着他，不过，此时的小玲已经正式过继为他的女儿了。我早年的朋友贺捷生主动提出，要陪我去医院，我觉得再好不过了。一方面，我身边有个人，不会因为伤感而失态。另一方面，她和冯牧是多年的睦邻。再说，她已经是一位将军了，有辆车，方便些。

一路上我们都在盼望着能遇到个鲜花店，买束花；结果，一个花店都没看见。我们只好空着手走进病房，时间差不多已经下午 4 点了。冯牧住的是一间套房，小玲告诉我："你们要先戴上口罩，只能在卧室门外和他说话。"正躺在床上输液的冯牧听见了，幽默而愤愤不平地插话说："我这里是地狱，不能进。"我们当然知道，普通人身上的任何细菌对于一个白血病人来说，都是致命的。捷生对他说："白桦专程来北京看望你来了！你今天的气色很好。"他说："你们看到的颜色是别人的 300CC 血。"他的头脑非常清楚，声音也很响亮。好在我带着大口罩，他看不见我的表情。他很消瘦，身子比以前短小得多，但目光依旧是当年的目光，犀利而善良。

不知道为什么，另一个他叠印在我的眼前，那是 1947 年冬天的他。他那时还是个 20 几岁的青年，担任新华社的随军记者。我们都知道，当时的十旅旅长周希汉将军特别敬重他，给他超标准配备了一匹马、一支手枪、一个警卫员和一支卡宾枪。他在野战部队里很受人喜爱，因为他文静、潇洒，与众不同。我们经常看到他写的关于我们部队的战地报导，迅速、翔实而生动。

在病榻上躺着的他和我好像有某种感应，似乎知道我在想什么。他问我："你还记得我第一次见到你是什么时候吗？"我说："记得，好像是 1947 年，我 17 岁那年。"他像考考我的记忆力似的，进一步问我："在什么地方，记得吗？"我说不出具体地点："在豫西。"他好像在显摆自己记性好的孩子那样："是在镇平，我还记得你穿着一件半长不短的灰大衣。"我的眼泪立即涌满了眼眶，我拼命忍着，怕它流出来。

那时，中原的隆冬非常冷，我所在的野战部队，经过一夜的激战，攻克了镇平县城。为了这一次的攻坚战，旅党委做了一个特别决定：总攻之前，可以使用3发山炮炮弹。而且把这个决定报请陈赓司令员批准。陈赓司令员批准以后，参加攻坚的部队一片欢呼，当时，那是多么奢侈的一个决定啊！可以减少很多突击队员的伤亡。在今天，山炮这种武器，已经早就退出所有军队的战斗序列了！而那时，我们是多么倚重它啊！山炮连的4门日式山炮简直是我们旅的天之骄子。那一仗，山炮连果然不负众望，在冲锋之前，三发三中，打垮了城楼。接着云梯队冒着枪林弹雨，把云梯搭上城墙。突击队前仆后继地登上云梯，把红旗插上了城头。多么像一场古代的攻坚战斗啊！冯牧是在我们旅的庆功大会上见到我的，我记得，他手里的莱卡照相机特别吸引我。多么小巧！

我对着病榻上的他，顿时想到：他所以能那么清晰地记起第一次见面时的情景，不正是他已经意识到这是最后一次的会见吗？如果有一点点可能，我都会嚎啕大哭一场！不，绝对不能！面对一个还不完全知道自己来日已经不多了的病人，实在是太冒险了……

冯牧又讲了许多话，都和他自己无关。直至此刻，他依然关怀着方方面面的事和方方面面的人。

我真想发出一声长叹。

冯牧出身名门，祖父是清代驻法外交使节。父亲冯承钧，是著名的中西交通史方面的专家，著作等身。冯牧为了抗战，参加过一二九运动，19岁投奔延安。对于自己的家世，多年以来，他都很少提及。1991年在杭州，在我们偶然谈到法国的时候，他才说：“我在巴黎出生，出生后就回来了，直到现在我还没去过法国。”我当时感到有点诧异，因为他在中国作家协会曾经主管外事工作。再一想，也很自然，他从来都不像那些假公济私的人，利用工作之便，每一次公款出国都给自己安排个领队的头衔。所以他终于没能实现自己隐匿了多年的夙愿。1950年1月，红河战役结束了解放战争，冯牧被留在边防军中工作。在云南，围绕着他成长起一群文学青年，可以说，他在我们中间亦师亦友，而且是良师益友。我们经常一起蹲在昆明玉溪街的地摊周围，蘸着辣椒吃烤臭豆腐。在军中，这是非常难得的一种关系。他对我们并没有通常的所谓“指导”。可以说，他也像他那位古文物专家的九弟冯先敏一样（不久前，因频繁往返于海峡两岸，劳累而死），具有一双慧眼，他九弟鉴定的是古瓷器，而他鉴定的是文学青年的手稿。他常常和我们一起到边疆去，他的兴趣特别广泛（在文、史、哲的范畴内，无所不通），又加上精力过人，50年代在云南崛起的青年作家，几乎无一人不是出于他的门下。既引人注目，又招人妒忌。1957年，云南军中的青年作家群中有一半被错划为“右派”，冯牧也由此备受责难。但他非常留恋云南的山山水水，调京以后，又无数次入滇，到过许许多多人迹罕见的地方。他的观点是：对大自然和祖国人文景观淡漠的人，决不能从事文学事业。往往他为了寻找一个被历史淹没的碑碣，可以步行百里。为了欣赏一个传奇式的猎人迫使“麂子上树”的绝技，他和猎人们在丛林中围猎，彻夜不眠。新时期的文学的复苏，冯牧在文学理论方面曾经是一面鲜明的开放旗帜，他指导和帮助过许多文学青年，虽然他们在十几年后都已经成为赫赫有名的大作家，并不能因此而否认他们曾经在冯牧的门槛儿上留下过鞋底上的泥土。诚然，晚年的冯牧有他自己的局限。他所有的局限，都来自他的善良。因为善良，他有无穷的忧虑。因为善良，他衰减了锋芒。因为善良，他委曲求全。因为善良，他牺牲了文学的个性……

看得出，他很愿意和我们一直谈下去。

他在生前的每一个夜晚，都希望和朋友们谈话，谈文学，交换见闻。有时高朋满座，有时门前冷落车马稀。他会为此忿忿然，郁郁然。他永远不知道世事原本如此。曾经踢破门槛儿的高朋们之中，有求者众，无求者寡，是完全可以见怪不怪的。

我们也愿意和他一直谈下去，能吗？万万不能！300CC别人的血已经消耗得差不多了！只好告别，我当然知道：这是最后的诀别！他似乎也很清楚。所以，我说不出任何安慰他的话。因此，他的目光立即黯淡了下来。在门外，小玲告诉我：“今天上午，专家会诊以后，私下对我说：你父亲的病是白血病中最没有办法的一种，M4型。看来，他即使有最好的条件，也维持不了一个月了……”

我是一个从来不相信任何预兆的人，26天以后，9月5日，酷热的吉隆坡之夜。正在白雪皑皑的梦中踯躅的我，被旅馆的电话铃声惊得跳了起来，全身冷汗淋漓，我立即意识到：冯牧去了……

“假我十年闲粥饭”

——送别汪曾祺老兄

4 月 26 日清晨，在成都郊区竹岛的草径上见到从北京来的汪曾祺先生。像过去许多次的重逢一样，他用沙哑的声音问：“日子过得怎么样？”每一次他都是像站在他的故乡高邮大运河边上，把我当做另一个放鸭的船民。我总觉得下半句应该是：“鸭蛋拣的多吗？”高邮的鸭蛋是独一无二的，双黄。我对他的问话总是以笑作答，接下来我们自然而然地就谈起吃的学问了。他先谈高邮的各种烧饼和独特的“饺面”(一半是馄饨、一半面)。我故意和他抬杠，说“‘饺面’并非高邮所独有啊！云南到处都是。”提起云南来，他的话就多了。我知道他的青年时代在西南联大读书，他也知道我的青年时代在云南当兵，云南成了我们共同的话题。他问我：“你说云南的过桥米线哪里最地道？”我说：“建水人说过桥米线是他们发明创造的，蒙自人说是他们发明创造的，谁都能说出一个关于过桥米线的传说故事来。据我品尝的结果，当然是蒙自的最地道。但必须说明：这是我在 50 年代的感觉。”他点头称是：“然也！君子所见略同。不过，我最喜欢吃的云南美食并非过桥米线……”我连忙说："你最喜欢吃的云南美食是'卤饵块'！"还有……""烤臭豆腐，云南人叫烧豆腐。"曾祺老兄总爱当众夸自己的烹调技术如何高明，从中国夸到美国。等我再深问一句："谁享用过汪记佳肴呀？"包括曾祺老兄在内，都哑口无言了。其次他常常引以为骄傲的是书画，他倒是现兑现地当众挥毫。我却从未听他夸耀过自己的文章，而他的文章越老越精练，可以说炉火纯青。读曾祺老兄晚近的短篇，就像站在齐白石、黄胃这样的水墨大师案边看他们作画一样，只几笔就是一个生命，平实隽永，美和幽默从质朴的生活中透露出来。我曾经问过一位法国汉学家："你们把汪曾祺的小说翻译成法文，会是什么样子呢？"她说："是很困难，他的小说精彩之处不在于故事，而在于语言。我很喜欢，但很难……"

这次和曾祺老兄见面，我注意到他的脸色比以前更黑了，依然好酒，却不再贪杯了。我有些忧虑，曾对邵燕祥说起。燕祥也感觉到了，说 1 月份还和他一起到过云南。从 4 月 26 日到 5 月 3 日，每天晚上他都比大家辛苦，许多求字画的人围着他请他写字绘画，他都有求必应，一直写到深夜。我开始为他的健康担心，后来也就见怪不怪了。但我也曾有过求他给我写一幅字留作纪念的想法，总是不忍心，而且从没想到过：一旦机会错过，就会永远失去。5 月 3 日深夜我们一起在宜宾乘火车，4 日清晨在暴风雨中到达成都，我们在车站上匆匆握别。没想到，他回北京不到半个月，就一病未起，猝然去世了，使我既惊恐而又悲凉。曾祺老兄在 70 岁生日的时候写过一首题为《七十书怀出律不改》的旧体诗，在末两句他表达了一个作家不奢侈的愿望：

假我十年闲粥饭
未知留得几囊诗

并在一篇文章里写到："我并不太怕死，但是进入70，总觉得去日苦多，是无可奈何的事。""看相的说我能活90岁，那太长了！不过我没有严重的器质性的病。再对付10年，大概还行。我不愿当'离休干部'，活着，就还得做一点事。我希望再出一本散文集，一本短篇小说集，把《聊斋新义》写完，如有可能，把酝酿已久的历史小说《汉武帝》写出来，这样就差不多了。"今天看来，还差一些。可寿命也和预计的差了3年，曾祺老兄！这绝不是您的错！

近来，死神对于作家袭击的节奏加快了，他不管是对老作家、中年作家还是对青年作家……每一个作家都有一些未完成的作品啊！他们生前被耽搁的时间太多了！可死神会这么想吗？才不呢！死神是文盲，即使胎死的都是千古绝唱、传世经典，他也一概视而不见。奈何？无可奈何！

清明，落花中的细语

白杨大姐！我来了，我给您和君超大哥带来了您喜爱的百合花，去年9月，您溘然长逝的讣告，我是在医院里收到的。病中不能去为您送别，我告诉您的一双儿女晓松和晓真：明年清明我自会去您坟前一拜。

今年，是清明节，我如期而至，来滨海古园墓地，我是第二次了。您记得吗？第一次我是和您一起来的。1992年5月17日，我们把逝世整整一年的君超大哥送到这里，您亲手把他的骨灰放进墓穴，在他的右侧，就是已经竣工了的您的墓穴，无庸讳言，每一个人都是向死而生的；您当然想到过最终和君超大哥的相依相聚……

我最先认识的是杨沫大姐，那是50年代初的一个夏天，我们和萧乾、林杉等几位前辈作家在北戴河海滨一座别墅里写作。当时，杨沫大姐正在构思长篇小说《青春之歌》。所以，我们有幸可以经常围着她，在海风习习的廊下，听她为我们讲述你们姐儿俩早年的故事，夜色中，一声又一声的海涛，像是历史老人从旁发出的喟叹。我至今都记得，她讲到令尊和自己的两个幼女对簿公堂的情景。最后，在社会公众和进步人士的声援下，作为被告的你们胜诉了。

争得了从封建家庭出走的合法权利，从而双双投入救亡图存运动的洪流。她讲到这儿的时候，咯咯儿地大笑起来，杨沫大姐的脸总是红彤彤的，见人就笑。

我经常到您家作客，还是“文革”以后的事。君超大哥由于截瘫，已经多年离不开轮椅了，但整个客厅里时时都充满着他的欢声笑语。我当时立即想到一句诗：“箭矢刚刚从身边擦过，你又在飞鸣了。”很多中国知识分子都是这种单纯的鸣禽。从十年禁锢中回到自己家里，回到自己的朋友们和新鲜空气中间，他如饥似渴地阅读书报，所以，从不出门的他，却能通晓天下大事，每次和他见面，他都侃侃而谈，内容几乎涉及到所有的领域，一场“文革”，你们的身心都受到严重的摧残，华山路的那座小楼也已一贫如洗。但你和君超大哥豁达超然的态度使人敬佩，我从来没听您说过，您在长期囚禁中的任何细节，虽然我真想知道一点。来客从书橱里摆着的几张被剪碎的照片上看到：被剪去的是在周恩来、陈毅等国家领导人中间的您。当我指着照片愤慨地说：“这太过分了！这……”您微笑着温柔地说：“这样不是更有纪念意义吗？”是的，无声的照片永远都在沉痛地诉说着历史的残缺。

日本影星中野良子第一次见到您以后，由衷地对我说：“我从来没有见过像她那样高贵的中国女性；平易，但高贵，像宝石一样。她那和煦的光辉发自她的内心。”我赞同她的看法。

从童年开始我就特别喜欢看您的影片了。我能记住您所扮演的每一个人物。可是，当我在“文革”后重新系统地欣赏您的所有作品以后，对您在中国电影史上的地位，才有了足够的认识。您不是那种随着时间消失而逐渐暗淡的明星，更不是那种趋时媚俗、昙花一现的流星。有些曾经红极一时的明星，今日恐怕连他们自己都不忍回顾昨日的自己。您不是，您是永远的白杨！无论何时，您所扮演的人物，每一个都是我们熟悉而又渴望再次见到的普通妇女，亲切、淳朴而又光彩照人。您照耀了一个给过您巨大痛苦与激情的时代。晚年，您多么希望能找回丢失的时间啊！您甚至愿意去担任一个社区业余艺术学校的校长，并引以为荣。您兴致勃勃地带我去您的学校，看望那些热情洋溢的学生。看得出，您每一次给我们带去的都是一阵快乐的风暴。

三年前，您第一次大病初愈，我和一些朋友看您，您坐在轮椅上接待我们。您有一种再生的欢愉，像孩子似的要和我们合影。您一遍一遍地说：我又把我自己捡回来了！我最后一次和您见面，是前年秋天的一个夜晚。您的女儿晓真在家里举行招待会，满屋子都是中外电影界的年轻一代。您身着盛装、喜气洋洋地端坐在楼上的客厅里，他们轮流来和您交谈、给您拿来好吃的东西。就在那时，您问我："文学中有没有坐在轮椅上的人物？"我当然知道，您还在向往着银幕。我说："生活中有，文学中也就会有。"我虽然知道您目前最重要的是恢复健康，但我还是想到：如果真的写出一个高尚、优秀的妇女，在一生坎坷之中，收获过甜美的果实，也收获过苦果，暮年时，坐在轮椅上，她的心境已经回归自然，但还在梦想……多好啊！可我再一想，那不就是您吗！其实，只要有一个摄影师和一个录音师，把摄影机和麦克风摆在您的面前，让您自由地幻想，让您自在地诉说、回忆、倾吐您的心声……就是一部美妙的影片！抒情委婉而又惊心动魄，今天，我依然认为没有那样做，是一个无可弥补的遗憾……

已是暮春时节，桃花盛极而衰，花瓣飘落，染红了海边的田野……花朵，每一个花朵在有限的时光里，演绎的不都是“永恒”二字么！

丽莎的睫毛

——忆荒煤

因为电影，我才认识荒煤，至今也已40余年了。荒煤从50年代初主政中央电影局，我听到不少电影编导在私下里议论说："荒煤简直严肃得可怕！你们说说，谁看见过他的笑脸？""我看见过！"我对他们的问题感到奇怪，他们对我的回答同样感到奇怪。我说："我不觉得他有什么可怕，荒煤很和蔼。"也许当时我太年轻（在许多场合都是"最小的那一个"），来自边防部队，荒煤因此对我格外的客气。而我却在他说话的口音里，感觉到一种熟悉而亲切的东西。后来，当我知道他是鄂北人的时候，我才恍然大悟：鄂北人和我们豫南人只有一山之隔，乡音本来就很相像。

50年代初，荒煤的职务虽然是中央电影局局长，而本质上，他还是一个作家。他坚信：故事影片制作的先决条件是文学基础，电影就是文学的再现。为了组织电影文学剧本，为了吸引当时在全国文学界最活跃的中青年作家，进行电影剧本创作，他举办了多次全国性的电影剧本创作讲习班。他为讲习班请来的教师都是我国顶级文学艺术大师，如：茅盾、洪琛、夏衍、老舍、周扬、阳翰笙等等。他自己也曾多次为我们讲课，实际上他讲的纯粹是文学。几乎每一次，他都向我们例举那个他最欣赏的经典性的文学细节的描写，那就是屠格涅夫在中篇小说《贵族之家》的最后，把悲哀的笔触，落在丽莎的睫毛上那一小节。“据说，拉夫列茨基去过丽莎遁迹的修道院……还看到了她。她从一个唱诗台走向另一个唱诗台的时候，就紧挨他身边走过。她迈着修女的平稳、急促而又温顺的脚步走了过去……并没有望他一眼，只是朝着他这一边的眼睛的睫毛几乎不可觉察地颤抖了一下，她的瘦削的脸更低垂，她那绕着念珠的手指，也互相握得更紧。……”每当作家们感觉到荒煤要举例的时候，就能听见同窗好友中间有人在小声说：“丽莎的睫毛又要颤抖了！”接着有人会发出忍俊不禁的笑声。荒煤立即觉察到了，他用诧异的目光环视着大家，全场立即鸦雀无声。我当时并不觉得有什么好笑，而认为他的见解非常精辟。荒煤所以一再举丽莎的睫毛“颤抖了一下”的例子，是为了强调说明：一个简练、准确的文学细节有多么巨大的力量！在电影中尤其需要这样撼人心魄的、微雕般的细节（在影片中也许就是近景或特写）。荒煤讲到：“虽然丽莎‘只是朝他（拉夫列茨基）这一边的眼睛的睫毛几乎不可觉察地颤抖了一下’，而读者所感觉到的却是：丽莎在竭力控制着的灵魂的剧烈颤抖。”40余年来，我们的影片却没有出现过哪怕一次，如荒煤所想象的“不可觉察地”睫毛的颤抖。开始，荒煤还站在作家和局长之间的钢丝上来回走动，希望两全其美地思索和处理电影的问题，后来，连他自己也不得不放弃那种不可企及的要求——让电影去探索人的灵魂（也就是人的本性）。因为他必须首先让中国电影去承担电影不应该承担、也承担不起的沉重任务。为了全力去对付电影艺术以外的种种干扰，荒煤疲于奔命。即使如此，到了文革前夕，荒煤也不得不离开北京，离开电影，远徙劫难之地——重庆，一去就是10余年。

文革结束，出狱后的荒煤从重庆托人给我带来了一封信。信很短，只是表达了他对我的思念之情，使我非常感动。到了1979年，我在北京和荒煤又同在一个旅馆住了半年之久，一日三餐都在一个饭桌上吃饭。那时，他的工作远离电影，但和我交谈的依然是电影。我发现，他远离电影再回头来谈电影，看得更加清楚了。这大约说明组织和创作电影生产的人，有必要当当买票进场的普通观众。有一次，我在饭桌上，向他描述了30年前他在台上讲课看不见、也不了解的戏剧性场景：——青年作家们在台下的一些小动作。当我说到台下有人小声说："丽莎的睫毛又要颤抖了"的时候，荒煤大笑起来，竟笑出了眼泪。趁此机会，我把过去编导们对他的看法告诉了他，他非常意外："怎么会呢？你没有看见过我的笑容？"我说："我当然看见过，可在客观上有这样的印象；那时，我听到不少人这么说……""啊！"他沉吟不语地思索着，很久，很久……

后来，荒煤又重新回到电影领导岗位上。我和他经常见面，为了电影，共同经历了各种各样的事。我们可以无所不谈，完全成了亲密无间的朋友。在他住院的日子里，我却没能看到他。听说，他在最后那段路上，经历了最艰难的跋涉，"比渴望生命还要渴望解脱"，"鲜红的血像喷泉似的涌出来，挡也挡不住……"（严平的记述）。我没有在他身边为他送行，是一个深深的遗憾。噩耗传来以后，连续

3天，每一夜荒煤都在我的梦中出现。他在阳光下，向我摇摇晃晃地走来，笑容满面地向我伸出手。我根本不觉得我和他已是幽明相隔的人，我甚至很想再说一次“丽莎的睫毛又要颤抖了……”为的是能逗他再痛痛快快地大笑一场，笑出眼泪来。

猛然醒来，寒夜未尽……荒煤真的已经远去了？

灵魂的重负

60年代初，我刚刚结束在工厂的3年劳动改造，又被下放农村。至于下放地点，破例可以由我自己提出，报有关方面批准。我提出的第一选择就是绍兴。当时，实际上我对绍兴一无所知，我只知道那儿是鲁迅先生笔下的“鲁镇”。在那里，我整整种了一年水稻。我和闰土的后代一起，手足并用，匍匐在水田里，插秧、耘田、抢种、抢收。“鲁镇”夏日田里的水烫手！冬日田里的冰割脚！只有鉴湖的善酿四季都是香醇的！一年不发肉票，“鲁镇”人还可以忍受；一周不发酒票，“鲁镇”人宁愿冒挨斗的危险，也要放肆地大发牢骚。我常常有机会踏着鲁迅童年的脚印，背着绳、拉着沉重的航船彳亍而行，牵塘路像是镜面上的一根线，我低着头看着自己的脚从蓝天白云上走过。鲁迅故乡的皇天和厚土一样沉重，婴儿一出生就会苍老！60年代初，我在“鲁镇”乡下，几乎每夜都失眠。夜深人静时分，刚要入梦，就听见老人们的诵经声，一片嗡嗡的低音。忽然，一个或两个女高音千遍万遍叫着一个人的名字，一边哭泣，一边诉说……我知道，那是病儿的母亲在叫魂儿。叫得那么凄苦，那么动情，又是那么真挚。她向冥冥之中的鬼神苦苦哀求，给鬼神以诸多的许诺，甚至愿以身赎。我曾经想到：假设我是捉走那孩子灵魂的鬼，我的手一定会在那母亲的哭声中松开。“鲁镇”几乎每天夜晚都有人怀着各种不同的愿心，举行祭祀活动。公社干部每天深夜都要去抓那些祭祀者，无论是熄灭他们的香火，踢翻他们的祭品，或是扣押他们的人，他们都不在乎。以婆婆妈妈为主的诵经者们，成群结队地划着自己的南泥船，彻夜在游动中诵经念佛，使得公社干部抓不胜抓。他们只敬畏冥冥中的鬼神，而置现世禁令于不顾。即使被抓被罚，他们在第二天、第三天、第四天……还要摆供，还要用最悲伤、最真挚的情感和声音祈求鬼神。他们相信心诚则灵，总会有那么一夜，公社干部睡得太沉，或是赶来以后一切都做完了。除了祭祀活动使得公社干部心烦意乱以外，还有流浪艺人的“游击战”式的演出。那一时期，流浪艺人很多。三五个人就能组成一个班子，白天像一伙走村串店的乞丐。村民们穷，“鲁镇”是一片富饶的穷乡，主要的出产是稻米，稻米最不值钱，而且由政府统购统销。那里的姑娘都想远嫁到海边沙地里去，所谓嫁，实际是卖，明码实价1000元，这在当时是非常昂贵的，农民称之为“千婢”。公社化以后，连地上和水里生产出来的草都属于集体，买卖自留地的产品是走资本主义道路。虽然人们饥肠辘辘，但除了祭祀鬼神，就是想看戏。人们都知道，那些流浪艺人的自由组合被认为是非法的“地下剧团”，因为他们扮演的都是帝、王、将、相、才子、佳人。抓住以后，首先要没收“反动宣传”的工具，所谓工具，就是他们赖以生存的乐器和破破烂烂的戏装、头套、髯口……轻则驱逐出境，重则关押。“地下剧团”所以能够屡禁不绝，是因为几乎所有的农民都是“地下观众”(其中还包括生产队和生产大队两级干部在内)，没有这些“地下观众”的暗中支持，“地下剧团”就没法存在。流浪艺人每每得到的报酬，只是村民自己节省下来的几碗饭，或是几把米。我就是在那一时期，和提心吊胆的农民在一起，欣赏了不少鲁迅先生提到过的“社戏”，而心情却还没有鲁迅先生儿时那样明朗和欢快。童年的鲁迅看社戏，是和一些小朋友在船上，远远看到的一些影影绰绰的人影儿。他最怕的是老旦，怕他唱到天明还不完。至于戏文，他却一点印象也没有。而印象最为深刻的是“回转船头”之后的一瞥：“月还没落，仿佛看戏也并不很久似的，而一离赵庄，月亮又显得格外的皎洁。回望戏台在灯火光中，却又如初来未到时候一般，又缥缈得像一座仙山楼阁，满被红霞罩着了。吹到耳边来的又是横笛，很悠扬；我疑心老旦已经进去了，但也不好意思再回去看。”(鲁迅——《社戏》)60年代初残存的临河舞台大多数已经摇摇欲坠了，谁敢在临河舞台上唱戏呢？只要开场锣鼓一响，公社的保卫干部就出动了。何况为了看戏出动那么多的航船，无异于“游行示威”，绍兴大班并不是后来进入大都市的“越剧”，越剧多缠绵悱恻的男女情爱故事。绍兴大班一如绍兴的历史和现实，充满了对灵魂坚定不移的确认，唱腔高亢，造型夸张，冲突激烈……人与鬼神无一刻疏离，好像鬼神无所不在，让人毛骨悚然。“鲁镇”的乡民无论如何都不能理解：唱戏和听戏为什么会违法？祭祀纯属自己的家庭活动，对政府、对别人有什么妨碍呢？鬼神是能避得开的吗？敬鬼神而远之是办不到的，只有敬鬼神而近之，才能免遭灾祸。鲁迅先生在小说《祝福》的开头就写到过这种沉重的心情，那是一段祥林嫂和“我”的对话：

“这正好，你是识字的，又是出门人，见识得多。我正要问你一件事——”她那没有精神的眼睛忽然发光了。

我万料不到她却说出这样的话来，诧异的站着。

“就是——”她走近两步，放低了声音，极秘密似的切切的说，“一个人死了之后，究竟有没有灵魂？”

我很悚然，一见她的眼盯着我的，背上也就遭了芒刺一般，比在学校里遇到不及预防的临时考，教师又偏站在身旁的时候，惶然得多了，对于灵魂的有无，我自己是向来毫不在意的；但在此刻，怎么回答她好呢？我在极短期的踌躇中，想，这里的人照例相信鬼，然而她，却疑惑了，——或者不如说希望：希望其有，又希望其无……人何必增添末路人的苦恼，为她起见，不如说有罢。

“也许有罢，——我想。”我于是吞吞吐吐的说。

“那么，也就有地狱了？”

“啊！地狱？”我很吃惊，只是支吾着，“地狱——论理，就该也有。——然而也未必，……谁来管这等事……”

“那么，死掉的一家人，都能见面的？”

> “唉唉，见面不见面呢……”这时我已知道自己也还是完全一个愚人，什么踌躇，什么计划，都挡不住三句问。我即刻胆怯起来了，便想全翻过先前的话来，“那是……实在，我说不清……。其实，究竟有没有灵魂，我也说不清。”

而后，他就匆匆逃跑了。

我在做了“鲁镇”的种田人以后，才理解到“我”的尴尬。也体会到祥林嫂的痛苦和忧虑，她最怕的是：在死后被阎罗大王把她的身体一锯为二，分给在她之前去世的两个男人。鲁迅先生对于中国人灵魂的沉重负荷的估计，在他的同代人里，应该说最为充分。他甚至说过：“我想到希望，忽然害怕起来了。闰土要香炉和烛台的时候，我还暗地里笑他，以为他总是崇拜偶像，什么时候都不忘却。现在我所谓的希望，不也是我自己手制的偶像么？只是他的愿望切近，我的愿望茫远罢了。”（鲁迅——《故乡》）有多少有识之士能认识到，“所谓希望，不也是自己手制的偶像”呢？“希望是本无所谓有，无所谓无的。这正如地上的路，其实地上本没有路，走得多了，也就成了路。”

我们又走了将近100年的路，是不是已经到了鲁迅所说“茫远”的尽头呢？

今天的“鲁镇”祭祀鬼神的香火更旺了。

90年代的婆婆妈妈，不就是60年代的大姑娘小媳妇吗！说明“鲁镇”人的灵魂负担并没有减轻，除了传统的罪孽感以外，又增添了极为尖锐的金钱和灵魂的冲突。

当一个人对自己踏着实地的双脚没有绝对信心的时

候，他必然会把希望寄托在鬼神的身上，虽然人的这双脚在上古时期就直立着前进了，而且走出了路，路，就在自己的脚下……

东奔西跑

时间已经证明，许多优秀的古典文学作品既是先见的预言，又是永久的寓言。这样的作品不胜枚举，使得我们今天的人读起来，不禁拍案叫绝。《聊斋志异》里有很多极短的小故事，却有着隽永、深邃的内涵。卷三中有一篇叫做《西僧》的短文，说的是一个很简单的故事：西域12位僧人，听说中国有四座名山——泰山、华山、五台山和洛伽山，相传山上遍地黄金，观音、文殊菩萨都活着。如果能够到达这些名山，就可以立地成佛，长生不老。所以，他们经过了和唐僧西天取经相同的十魔九难，只有两位活着到达目的地。蒲松龄在说完故事以后说："倘有西游人，与东渡者中途相遇，各述所有，必当相视失笑，两免跋涉矣。"重读此文，觉得蒲翁像是为今人写的。

当今世界，因为寻求乐土，亿万人都在东奔西跑，不惜冒着生命危险，非法在国际间偷渡。这就制造了无数人的死亡和流离失所，全世界的难民营里经常关着数以万计的难民。中国至今都不断有人在大洋的惊涛骇浪之上漂浮，幻想在西方找一块乐土。尽管有许许多多非法移民的悲惨故事传到中国，甚至有一些幸存的失败者回到故乡，仍然还有人宁肯相信传言和幻觉。前年冬天我在巴黎一间可以看到圣母院的的餐馆进餐，和一位土生土长的巴黎侍者闲谈起来。他对我说："我生平最大的愿就是终老在中国。"我问他："为什么?"他说："在我父亲那一代人的印象中，中国是一个和平而又神秘的国家,中国人都生活在神话里。他也一直希望能够终老在中国，可惜因为热战、冷战等等因素，到死都没有如愿以偿。现在的巴黎，您一定也看到了，乞丐比雨果那本《巴黎圣母院》里写的还要多。听说在现在的中国经商，有一百倍的利润。世界上到哪儿去找这样好的乐土呢?!"我不知道我的那些对外国单恋到痴迷程度的同胞们怎么看待这段话，但我必须实事求是地把中国今天的现状告诉他。他当然也像那些没有到达中国名山的西域僧人一样，不愿用真相去破坏他人的传言和自己的向往营造出的幻觉。

其实，任何一个国家都不是天堂，也都不是地狱，全都是哀乐人间。正如家家都有一本难念的经一样，每一个国家也都有每一个国家的问题。而所存在的问题主要都不是土地本身缺陷，大部分是人为的灾难。异国也许有一块适合你的地方，比在你的故乡生活得好一些。可你因此也会失去许多的，不是吗？仅仅是你将远离你在情感上所熟悉的一切（当然，无情者例外），能用物质来衡量吗？禅宗大师六祖惠能说："东方人造罪念佛，求生西方；西方人造罪念佛，又求生何国?"问得是多么好啊！

悉尼一青年

北半球的夏天正是南半球的深秋。从降落墨尔本的那一刻起，我就被澳洲的凉爽空气，郁郁葱葱的莽原吸引住了。到了悉尼以后，又迷恋于形形色色的海滩，有的高峻奇绝，惊涛拍岸，有的秀丽浪漫，宽阔平缓。本色天然的美景使我几乎忘了我来澳洲的目的。6月6日我必须在国家图书馆一个大厅里做一个文学演讲。我原以为可以即兴发言，之后再请听众提问，由我来解答，好在要讲的话很多，不需要做什么准备。谁知道悉尼艺术节的主席打电话告诉我：要有讲稿，因为事先要请人翻译成英文。这样一来我就必须赶写一篇讲稿，于是就闭门谢客（包括谢景）半日，加上一个夜晚，草草完卷，送交组委会。

两天之后，我忽然接到一个陌生人的电话，是个男性，讲华语，但并不流利，他自我介绍说："我是Chapman，中文名字叫常易安，平常的常，容易的易，平安的安。"我吃了一惊：这个老外竟懂得把李清照的号取为自己的名字，真够中国的了！"我正在赶译您的讲稿，译完了，有几个问题还想当面请教您。"我表示随时欢迎。当晚，一位腼腆的白人青年在一位中国留学生的陪同下走进我下榻的温莎酒店。把他让进客厅落座的时候，我注意到一个细节，他悄悄把卷成一团的大衣放在沙发旁边的地板上。他轻声说："我是个大学生，义务劳动，想锻炼一下，一定译不好……"接着他羞怯地看看我，把他要提的问题告诉我。其实，他提的都是无须顶真的问题，诸如名字的译音妥当不妥当之类。我的讲稿中难以翻译的地方很多，如中国谚语、禅宗偈语等等，他却一个也没提出来，我当然也不好问。依次问完，得到解答以后他就告辞了。因为他为了这篇讲稿两夜都没睡觉，我不敢挽留他，关于他的一切我也没来得及问，对他也没抱多大的希望。演讲之前我看了看他的译稿，一色的蝇头小楷，如同打字机打出来的一般，没有一笔潦草的涂改。演讲结束后，听众反应非常热烈。这位青年也立即引起大家的格外注意。和我同台演讲的香港女作家林燕妮是受中英双语教育长大的，她事后在《明报》上发表的文章中有这样的描述："讲座一完，便三步并作两步地一把抓住他查根问底。他说他是念中文系的，9月便到中国去，但还不晓得会住在北京还是西安。问他在中国要呆多久？他说计划两年。我把小说《为我而生》交经他：我想请你替我把这本书译成英文。我的直截也许吓了他一跳，呆住了。我很欣赏你的翻译，看得出你很费心思去译。我实在想称赞他一下。他的脸露喜色：真的吗？我指着书：我提议你先从头到尾看一遍，然后试译第一章，用不用都有翻译费的……白桦那篇讲稿既有谚语，复有古文和佛偈，居然译得信、雅、达俱全，令我惊喜……"林燕妮能下这样的评语，说明易安的认真、勤奋和相当高的语言才能。看来，我其实是一个很幸运的人。

易安上次匆匆向我告别时忘了拿走他的大衣，我也是第二天才发现的，那是一件很旧的粗呢大衣，不但质地旧，式样也旧。至少是他祖父辈的遗物，旧得恐怕今天的中国大学生都羞于上身，而且绝不相信今天的洋人——还是大学生会穿这样旧的衣服。但这件大衣使我联想到19世纪欧洲许多大学者的青年时代。我在电话上告诉他：你的大衣还在我这儿，我担心晚上你会冻着。他说：不！其实悉尼的秋冬并不真冷。是的！他笑了：我反正还会去看您的。我请他在来之前把他的英文稿给我复印一份。他说他得先到一位有电脑的朋友那里去打印以后再复印给我。我说：你手写的和打印的差不多。但他一定要坚持打印，我也只好依他。3天后，他来温莎酒店，送给我一份打印得非常漂亮的译稿，还附了一页手写的中文信件。信中说："白先生：这是您的演讲的英文译文，比您的原文短一些，是为了演讲时节省时间，可是我希望仅是语言精练，没有内容遗漏。跟您合作我感到非常荣幸；而且翻译那么学问高深的文章，对我颇多教益……"当我把那件旧大衣交给他的时候，真想告诉这位穷大学生："你是个多么富有的青年啊！正因为你很富有，你才敢于穿着这样的旧大衣，面对功利世界而从容不迫……"我紧紧地握着他的手，久久不愿松开。

放 河 灯

小时候，每逢阴历七月半，沿河的乡民都到河边去放河灯，纸做的灯盏有船形的，有莲花形的，有碗形的……富人放河灯很热闹，请来和尚道士，敲锣打鼓，朗诵经文。小家小户大都是静悄悄的。也有人刚把河灯放在水面上，河灯颤抖着一离岸，她就嘤嘤地哭起来，非常伤心，竟能哭出一支缠绵悱恻的歌来。我很愿意在暗处听，眼前是一片忧郁的灯火随水缓缓东去，那是一种凄凉的美。特别是富人的热闹过去之后，灯火越来越远、越来越少……河水像缓缓飘动的黑色绸缎。人们以为自己放的灯一定能把亲人的灵魂送往远方，重新托生为人。我第一次放河灯才9岁，我是悄悄和小蚂蚱一起去的，小蚂蚱比我大一岁，是我那时最崇拜的第一能人，几乎没有他不能做的事情。但他很少呆在家里，他家就是河边的水母娘娘庙，庙小极了，除了水母娘娘一家人背贴墙站着的地位，剩下的刚好够他一个人躺下来把腿伸直。其实，他只能伸直一条腿。因为他的左腿先天性萎缩，从来都没伸直过。但他无所不能：游泳像鱼，上树像猴，谈心像大人。他从不凑热闹，总是独来独往。他天刚亮就出去了，夜深了才回来。我们是在河对岸竹林里认识的，可以说一见如故。跟着他绝不会饿着，他会打鸟、摸鱼、抓野兔……随身带着油、盐、酱、醋、茶和小铁罐。还会挖土窑烧炭。做河灯就是他教给我的。

他告诉我："放河灯是给死去的鬼魂照亮生路的。"我问他："你放给谁？"他说："给我娘，我娘死得惨，是投河死的。去年我放了三盏灯，她托梦告诉我：'等我漂起来，三盏灯已经灭了两盏，你应该知道，你娘的眼睛早就半瞎了。'"所以，那年他放了十盏灯。他叫了一声："娘！这该看见了吧！"第二年他已经不在了，那年年三十，他喝了酒，大风雪把小庙埋住了，又冷又不透气。从此以后该我给他放河灯了，也放了十盏，是最后放的，因为他怕热闹。十朵灯火静静地漂了很久很久，才在远方的夜雾中熄灭。当时我确认是照亮了他的生路，我相信他在来生一定有一双健全的腿。我曾和他讨论过人有无灵魂的问题，他斩钉截铁地说："有！要是人没有灵魂，还叫人吗？就说那些二鬼子吧，他们就没有灵魂，所以人人都把他们叫做狗。他们不是狗吗！鬼子一声吼，他们就汪汪叫着去咬人，有时候你能看见他们的尾巴竖得像根旗杆……"我说："我从来没有看见他们有尾巴。""我看见过！"他咬牙切齿地瞪着我，吓得我就不敢争辩了。他继续说："有人看着像个人样，可他只有半个灵魂，别看我只有一条腿管用，我的灵魂是整个儿的，啥都不缺。"他拍着胸膛，用一只腿支撑着瘦骨嶙峋的身子，高举双手，尽量引身向上。

小蚂蚱的样子使我非常震惊，事隔多年，我都还记得他那尖利的声音。从此，我相信人是有灵魂的，虽然我是个唯物主义者。至少是：人应该有灵魂，应该有一个完美无缺的灵魂。

夜　曲

伊登和燕妮到旧金山湾区来接我到波林娜斯去歇暑。我当时就觉得“歇暑”两个字不大贴切，旧金山的夏日根本就没有暑热，看来“歇暑”只是个休息的由头。从旧金山湾区驱车到波林娜斯只有一个小时的车程，一路都是沿着海岸的山路。傍晚从车窗望出去，每一瞬都是一幅画：含着一角蓝色海水的山谷；顶着温柔月光的松林；星光与灯光下逶迤的海岸……到波林娜斯以后才知道，她只是一个小小的海边居民点。

刚刚入夜，就人迹悄然了。隐隐看到和听到的是从那间唯一的酒吧门缝里流泄出的一线灯光和一首老式情歌《记忆》。友加利树像是一群踩着高跷的醉汉，在海风中低低呻吟、轻轻地晃动。气温大约只有18摄氏度，我忽然感到一阵秋天似的萧瑟。主人的别墅是一座西班牙式的3层楼房，在阳台上，燕妮指着隔壁一所矗立在海岸边的平房告诉我：“你看，那所房子就是我们为你租赁的一座别墅，钥匙就放在小门框底下，用一个贝壳盖着。”我在他们家喝茶，一直喝到深夜。向他们道过晚安以后，就向“自己的别墅”走去，燕妮怕我走错了路，特地站在阳台上俯瞰着我。我藉着月光找到“我家小门”，蹲在地上摸索着，果然有一个扣着的大贝壳，我掀起贝壳，像童话里说的那样，一把钥匙就跳进我的手里了。我打开门灯，随着小门一声“伊呀”，燕妮说了一声“对”，她就放心的回房去了。

我一走进小门，就忍不住惊叫了一声！迎着我的是一间120平方米的宽阔客厅，三面向海的玻璃窗一尘不染。此刻，月光下的大海分外辉煌，每一片海浪都像是一只贴着水面翻飞的银色海鸟。海滩的远处有一对少男少女，像亚当、夏娃那样赤条条的，他俩正手牵着手向海水奔去。我相信：每一个恋爱着的人都是一支自然不熄的火炬。我不忍心须臾离开如此皎洁的月光，一直不想开灯，披着一张毛巾毯，久久坐在窗台上，在天快亮的时候，竟会依着玻璃窗睡着了。

当阳光代替月光铺满客厅的时候，我才猛然醒来。海滩上已经坐满了迎接朝霞的人们，喜欢钓鱼的人家，全家撑着小船向远海划去。那么多人竟没有说话的声音，像彩色的全景默片。等我转过脸来的时候，才发现室内到处都是日本摆设。硬木几上供奉着一尊一公尺高的雕像，是一位日本幕府时期全身盔甲的武士，书架上全都是日文书籍，既有园艺学、文学和水产学方面的，又有医学方面的。大餐桌上摆着的是一套釉上彩日式茶具，还有一筒煎茶。我在电炉上烧开了水，沏了一壶茶，清香碧绿，不用尝就知道：绝对是今年的新茶。太意外了！我没想到有这样的好享受：倾听着西方的海涛，品尝着东方的绿茶。喝完茶，推开一个小门，才看见卧室，卧室布置得像一座小小的山洞，床上的被褥是用日本箱根地方的蓝色土布制成的。看来，这所房子的主人一定是日本人。

这时，我忽然听见有人敲门，我当即生出一个非常荒诞的念头来：会不会是一休和尚到了？开门一看，原来是请我到他们家去进早餐的燕妮。在进餐的时候，主人问我：“休息得好吗?”我说：“不好。”“为什么?”“景色太迷人了，在如此美丽的景色中休息，实在是太奢侈、太不应该了。”“那就多休息几天吧。”“不！多休息我会累垮的。”他们大笑起来。

傍晚，我的朋友L，突然打来电话，向我兴师问罪：“你来旧金山为什么不给我打电话呢？我找你找得好苦哇！今天晚上我请你来湾区吃饭，我马上开车去接你……”我正想推辞，他不容我说话：“没得商量，等会儿见，我和C一起来。”C是他的情人。我请伊登向C详细说明了来波林娜斯的路线。在等待他们的时候，我向伊登和燕妮介绍了L的情况。L是出生于云南的一位老学者，大半生都屈身在各种监狱里，但体魄却出奇的健壮，耄耋之年还在和一位比他小得多的女士热恋。时钟已经敲过23点，他们还没有来。我只好自告奋勇，表演烙饼。正在烙饼的时候，听见了汽车喇叭和喊叫我的声音，他们终于来了！

L走上楼来，气急败坏地说：“这个波林娜斯实在难找！我们像是碰见了‘鬼打墙’绕来绕去，总在老地方。天无绝人之路！后来，遇到一个警察，而且是个会说四川话的美国警察。他的四川话说的那个地道，让我们都惊呆了！他说：‘我说四川话一丁儿也不奇怪，因为我的前妻是个四川人嘛，我原以为四川话就是标准的中国话，郎个晓得四川话在中国是一种很土的方言。’我们问：‘为什么越是接近波林娜斯的地方越是看不到路标呢?'他说:'龟儿子波林娜斯的哥子们,一到了夏天就把路标拔起甩了。''为啥子?''为啥子?他们硬是不想让外边头人进来耍。''为啥子?''为啥子?简单得很,那么多人一窝蜂地涌进来,在海滩上搭帐蓬,吃、喝、拉、撒、吹、拉、弹、唱,咋个会安逸嘛!'你看,美国人也有地方主义。我们多亏了这位说四川话的美国警察,他为我们开车引路,一直把我们送到你们的楼下。"我对L和C说:"去湾区吃饭已经太晚了,看来,你们也只好在这儿凑合着吃点我做的枣儿粥和葱油烙饼了,如何?""只好如此。"后来,我虽然没问他们,但我完全有把握认定:这一顿延误了的晚餐绝不比在湾区某一家所谓的中国餐馆吃得差。在我们吃饱喝足之后就肆无忌惮地高谈阔论起来,结果门铃响了。当伊登下去开门的时候,按铃的人已经走了,从背影看,是个很小的女孩儿。门缝里掉下一张纸,伊登轻轻地为我们念了出来,是两句诗:

寂静是最动听的夜曲,
能和我们一起倾听吗?

顿时,我们都变成了哑巴……

梦中的一片绿色

我是80年代搬进这座大厦来的，那时这座大厦和另一座大厦中间是一片空地。据说在设计图纸上这是一小块树林，也就是说在大上海的灰色的海洋中又多了一小片绿色。我一听说就兴奋莫名！每天早上可以在小树林里散步了，或许会有几只小鸟，在林中飞鸣不已。每当我出门或回来，当我想到树林的时候，情不自禁地会发出微笑。因此我经常在梦中看到这片还不存在的小树林，茂密的绿叶在微风中窃窃私语。

不久，我看见运来了许多沙子、水泥和石子。在我还没有弄清楚这是做什么的时候，泥地就被混凝土全部覆盖住了。说是为了孩子，这里要修一座儿童乐园。啊！这当然是无可置疑的大好事，虽然我更喜欢绿色的小树林，为了孩子谁能说什么呢？孩子是我们的未来。而且不能因为我的孩子大了就反对这个改变。而我还在做绿色树林的梦，梦中的树林里仍然有小鸟在飞鸣。

儿童乐园里设置了各种各样的游戏器械，有滑梯、浪板等等。孩子们玩了一阵，闹了一阵，所有的器械渐渐锈了，破了，拆掉了。于是儿童乐园就被“改革”掉了，修起了一排没有门窗的小房子,开起一家半露天的茶室来,说是为了老年人有个谈心说话的地方。为了老人谁能说什么呢?老人是我们的过去,没有过去就没有现在和未来,何况有关方面还能创收,可以赚不少钱,这当然很重要。在不少人的新观念中,这是最重要的,也是唯一的。

茶室落成以后,果然有不少老年人一大早就来饮茶了。这种茶室不是粤式的,没有点心。老人们买好了点心带着来,这里供应的只是一杯清茶。主持者只有一点疏忽:光考虑到进,却没考虑到出。老人们是憋不住的,只好在墙外摆一只尿桶。虽然不很雅观,总算有了一条出路。天渐渐冷了,茶室四面通风,今天的老人们不同于古代的老人,没有对雪品茗的雅兴和筋骨。只要经济为杠杆,一切都会很快得到改善。门窗和厕所像变魔术似的在一夜之间就完成了。而我还在做绿色树林的梦,梦中的树林里仍然有小鸟在飞鸣。

斗转星移,过了一段时间茶室又进行了一次大装修。居然推出了好几种牌子,有公司、有律师事务所、保姆介绍所……竟然存在这么大的包容量!不少邻居都啧啧赞叹不已:这就是进步,这就是发展。从此,我梦中的一片绿色再也没有出现了。但我对那梦中的一片绿色的思念日渐加深,有时竟然会成为白日梦。可能我真的是个不合时宜的人,别人梦见的都是金色,你怎么总梦见绿色呢?在如此繁华、热闹的超级大都会,高楼大厦如雨后春笋一般……可人类在过去、现在、将来,无论儿童、老人、青年……最需要的不就是绿色吗?今天,最需要的为什么会成为最不需要的了呢?在人口如此高密度集中的城市里,我们每个人能分摊几片绿叶呢？常常整整一天看不到绿色。一位古代的日本高僧良宽在他的绝命诗中写到：

秋叶春花野杜鹃
安留他物在人间

这既是他的人生感悟，又是在说禅。应该说，还有一个科学的论断。人间的永恒是什么？是秋叶春花野杜鹃，而不是其他。大自然的绿色种族养育、陶冶了一代又一代的人，经它们自身的生存经验告诉我们：什么是优美、和谐、宁静、淡泊？以及对待生生死死的潇洒风度？但我们却在最需要它们的时候，排斥它们，遗忘它们。实则，如果我们不是如此短视，从长远的角度来看，我们排斥和遗忘的不正是我们自己的生命之源么?!当我一想到我们楼下那块空地的发展变化，也许就是大上海、或者中国一些地方的发展变化的缩影时候，我就非常沮丧了。但愿这只是我杞人忧天的胡思乱想。

读画的画外心得

去年12月，我曾和几个巴黎的朋友驱车经过不设防的比利时进入不设防的荷兰，唯一的目的是想精读伦勃朗和梵·高的绘画，他们真正是几百年才能出现一个的伟大人物，荷兰人永远的骄傲。阿姆斯特丹的冬日显得异常冷清，特别是刚刚离开喧闹的巴黎。一到市中心就直奔雷伊克斯博物馆，她拥有100万件荷兰艺术珍品（包括5000幅绘画），如果在一个展品前站3分钟，需要差不多6年时间，即使只读画，也得8个月，这当然是很难做到的，人生苦短的感觉在这里特别突出。于是，一进博物馆就直奔伦勃朗作品展厅。当你站在那些真迹面前的时候，你才会发现当代印刷术仍旧非常拙劣。你会大声叫出来：原来伦勃朗的色彩和光影是这样的！之后，你只能连连唏嘘惊叹。那么冷的天气，你的手心会攥出汗来。从雷伊克斯博物馆出来，吃了一份“热狗”，喝一纸杯咖啡就步行到梵·高博物馆，好在很近。我一进馆就走到《画架前的自画像》前，那是他1888年的作品，离伟大画家生命尽头只有两年。一百多年后的我似乎觉得我正站在他的画室里，他随时都可能向我喝斥：出去！他绝不会问我：这些画你喜欢吗？前几年我曾在芝加哥见过另一幅自画像，是那幅《耳朵包着绷带的自画像》，我当时曾经为他的疼痛而疼痛，并感觉到疼痛给予他的力量。伦勃朗生于1606年，梵·高生于1853年，二人相距两个半世纪。前者是磨坊主的儿子，后者出生于乡村牧师之家，他们的艺术成就都达到了历史的顶峰，而命运迥异。前者不到30岁就靠绘画过上了豪华的生活，和富家小姐结婚，但他更加勤奋作画，画艺愈精，55岁是他作画最多的一年，毕生作画不息，终年63岁。后者却很不走运，终生贫病交加，生前只售出过一幅画，最后十年才认定艺术创作是他真正的职业，通过艺术才能给予人类尽可能多的慰藉，从没想到过人类给予他什么，哪怕是一块蛋糕，他只活了37岁。今天，只要有一幅伦勃朗或梵·高的画，就能造就出一个大富翁。

最近，我国不少人在议论文艺家该不该下“海”经商的问题，我确实感到奇怪，我以为这是不需要讨论的问题，也不应有中国文艺家可能断代的忧虑。试问今天哪一位中国的文艺家比当年的梵·高还要贫穷呢？梵·高似乎从来没有因为心慌意乱想到去经商。谁受到过梵·高生前受过的冷遇呢？他其实完全可以在古匹尔画店当店员，一直当下去，或许可能升任某个分店或巴黎总店的经理，即使一直当传教士，也会有个起码的温饱，他却偏偏要去画画。他是自杀身亡，但不是因为生活艰辛，而是精神绝望。中国古人有句聪明话：人各有志。我们不是有过几代人志在赴死的昨天么？今天，谁愿意做什么，只要可能、允许，去做吧！改行也可以。当然，还有个受吸引和不受吸引的问题。一块磁石，也许能吸引一撮铁砂，却不能吸引一座铁塔。至于石塔、砖塔，压根儿就不受吸引。有一些高士说：我先去挣钱，挣到大量的钱再回头搞文学艺术。我很无知，不懂生理学，也不懂心理学，不知道一双手抓惯了叮当发响的金币，还能不能再去抓无声而冰冷的笔？似乎历史上还没有先例。

也许今天有一些天才，能在自己的神经中枢上装一个双联开关，只要拨动一下开关，全部神经系统（包括人格和价值观念）一下就从为发财而跳跃不止，转换到专心致志从事文艺创作活动而运转了，从而创作出不朽的杰作。

如果真的有那种神奇的开关，我愿高价买一个。我曾经就中国文学界面对金钱的喧哗引起的议论请教过法国当代作家罗布·格里耶，他回答说："我从事文学的前15年，没有房子，没有汽车，没有读者，靠土豆过活。我想，中国的食品还不至于太贵，总不会饿死吧！"

禅宗六祖慧能逃亡途中在法性寺听经，有两个和尚为了风来幡动发生争执，一说幡动，一说风动。慧能从旁插话说："风也未动，幡也未动，是你们的心在动。"一语惊四座，诚哉是言也。

唱支忧伤的歌分手，难么？

"如果你对爱情没有战栗的快乐和失常的痛苦，
原谅我的话太直——你的爱情不真。"

这是我1956年在长诗《孔雀》中写的两句话。

爱情几乎总是和妒嫉同时萌芽的。当求爱的一方受到对方的拒绝（包括一方的变异），一定会愤怒，甚至产生仇恨……这已是千篇一律的故事了。问题在于有少数人会使用暴力、阴谋去侵犯对方，酿成追悔莫及的悲剧。如最近上海连续出现的男性对他所追求或爱恋过的女性残忍地毁容案件，使千千万万人震惊、痛心、愤怒和惋惜，曾经是那样光彩照人的美丽少女……"美好的东西得不到就毁掉。"这是人性中最卑劣的表现，在禽兽中都很少见。

1985年春天，我在云南泸沽湖，访问过一些摩梭姑娘，虽然她们的婚姻家庭形式还处于母系氏族的时代，但她们完全懂得：爱情从始至终的基础就是互相尊重，哪怕是到了情变分手的时候。我问过一个摩梭姑娘：

"如果你今天的阿肖[1] 和昨天的阿肖在你的花骨[2] 里碰上了，他们会动武吗？"

"不！他们会在我面前喝完一壶酒，由我来决定谁留下，谁走开。"

"他会心甘情愿地听从你吗？"

"其实用不着我说什么，如果在他来之前把他留在我花骨里的腰带挂在门外，他就压根不会进来。"

"他是高高兴兴地走的吗？"

"他当然很难过。"

"你怎么知道？"

"他会小声从门缝里塞进一支歌给我。"

"歌？什么歌？能不能唱给我听听……？"

她唱了，歌词大意是：

"但愿你得到的是一轮明月，
我只希望你别忘了没有月光时的星光，
我会永远照射着你脚下的小路，
我知道星光在你的心里已经黯淡……"

——这首歌可以称之为《别歌》，也可以说这是爱情的尾声。但却如同与碧空同尽的江水一样，化炽烈的欢乐为淡远的哀愁，似尽未尽，未尽已尽，无可挽回而余音不绝。

---

① 阿肖，直译是：可以躺在一起的朋友。
② 花骨，摩梭妇女接待阿肖的卧房。

我真的很欣赏。

唱支忧伤的歌分手，难么？是有些难，但你也可以不唱，即使你心怀怨恨而不付诸行动，也算是美好的、高尚的，因为你的怨恨是源于爱的呀！不是吗？

与生俱来的生存理念

悉尼的温莎酒店，窗外就是美丽如画的情人港（Darling Harbor)。但它并非一个繁忙的船舶往来的港口，那里只有一艘游船，主要是有网球场、展览馆、商场和一座中国式的园林。看来，它名副其实是停泊情人的港湾，真浪漫！

每天，当最初的阳光铺满绿茵的时候，我就和一群群的鸥鸟、鸽子、野鸭一起来到水池边。比我们更早的是一位脚边放着一个布口袋的老头，他似乎在天还未亮的时候就坐在长靠椅上了，但他手里的烤土豆却是滚烫的，他一边呼呼地吹着，一边把热土豆在两只手中抛来抛去。我真不明白他的土豆是在哪儿烤熟的，难道他的怀里是个烘箱?！等到土豆有些凉的时候，他才开始慢慢地撕着烤焦了的皮，把皮扔给那些蜂拥而至的鸥鸟、鸽子和野鸭。老头在吃到半饱的时候，也会把一块块的土豆分给那些鸟，一直到他向它们拍拍手表示没了，那些鸟还不离开，围着他，落在他戴着毛线帽子的头上，瘦骨嶙峋的手上、膝头上。澳洲极少街头露宿者（政府给老人的补助很优厚)，我猜想他也许是位游客，或是一个孤独无依的老人，但他很乐意和这些鸟一起共进早餐，虽然这是最简朴的早餐。

我访问过许多国家，在欧、美、奥洲，乃至日本等亚洲国家，人们和野生动物之间的和平、亲密相处是极其正常的生活，是一种与生俱来的生存理念。而我每一次都会感到新奇和激动。因为从我出生时起，所看到的都是人与野生动物不能相容的景象。孩子上树掏鸟蛋。扑捉蝴蝶和蜻蜓，为了撕碎它们的彩色的和透明的翅膀。许多男孩子都玩过弹弓，只要看见小鸟，不管它有多么好看的羽毛，不管它多么能歌善舞，都要打死它，为什么？为了让它死，为了显示人的残忍的技能。吃鸽子、吃蛇、吃狗、吃猫……近年来，这种杀戮愈演愈烈，吃猴、吃孔雀、吃天鹅、吃飞龙、吃小鹿，甚至大熊猫……这难道是我们的与生俱来的生存理念？想到这儿，真是不寒而栗！就在我写这篇短文的时候，我的窗下卖青蛙的小贩正在生剥它们的皮。50年代初我曾经在云南看到过一些鸟贩子，一个肩膀上的木架子竟扛着100只鹦鹉，每只鹦鹉的脚上都系着绳索。后来就见不到了。我想，即使在云南，鹦鹉也已经灭绝。在澳洲森林里，我只要伸出手来，成群的白鹦鹉、绿鹦鹉就会飞到我身边，接受我的喂食。有一次，我竟会当着数十只白鹦鹉泪如涌泉，使得陪同我的澳洲朋友大为吃惊。他们不明白我想到了什么，我也无法告诉他们我想到了什么。当时我想到的是一个聪明人从来不会想的问题："不能和野生动物和平共处的人，能和人和平共处吗？"想到这儿，我就不敢再引伸下去了……

一篓青草

读萧红的小说《呼兰河传》，你会时时发笑，会感叹：她在那么小的时候就是个目光锐利、思想深邃的小精灵！她在这部小说的第一章，花了很多篇幅，描写了故乡小城东二道街一个古亦有之的大水泡子。那个大水泡子“除了冬天冻住的季节之外，其余的时间，这大水泡子像它被赋给了生命了似的，它是活的。”淹死过小猪、小狗、小猫、小鸡、小鸭……马车也经常在它面前倾覆，甚至很有气派的绅士一不当心也会遭没顶之灾。“可没有一个人说把泥坑子用土填起来不就好了吗？没有一个。”我第一次访问呼兰已是进入90年代的事了，听东二道街的老居民说：“这个大水坑是个怪物，很长寿，经历了抗战、解放战争，一直到60年代中期才算寿终正寝。”可我总觉得它并没有死，它会不断在另外的地方复活似的。因为我经常能看到寿命或长或短、而且变了形的它出现在人们必经之路上。

不久前，在山区旅行，我们乘坐的面包车抛锚修理。据司机说，是一个重要零件坏了，他要搭顺风车去就近的镇上去采购，车一时还走不了。于是，我就爬到山坡上，背靠一棵枫树坐着看书。看着，看着，忽然听见“哗”的一声响，我的身上被污水溅得透湿。哪儿来的污水呀？这时，听见下面公路上有人大声在骂街，是一个捂着脑袋的卡车司机。原来是他的卡车高速开来，突然陷入公路中央的一个积水坑、又被抛出来，他的头在车顶上撞了个大包。那位司机骂够了之后，才把车开走。看样子这条公路不属于国道，也不属于省道、县道，只是一条集资拓宽的乡村沙石小路，没有固定的道班来维修。接着驰来的第二辆卡车，车厢里满载着石子。这辆车有了前车之鉴，立即放慢了速度，只轻轻地颠了一下就过去了。第三辆是个一吨半的小卡车，载的是沙子，它并未减速，非常潇洒地来了一个S形的弯儿，绕过水坑就飞速地过去了。整整4个小时，过去了几十辆大小车辆，大部分都是运载沙石的卡车。冒失的司机被颠得怒骂不已，机灵的司机放慢速度就平安无事地过去了。可就是没有一个人把卡车停下来，从车上扒下一些沙石，填平那水坑。没有一个！虽然那只是举手之劳。傍晚，我看见一个小人儿，从高高的山颠上，背着夕阳，像小蚂蚁似的从弯弯曲曲的羊肠小道上爬下来，很久我才看清楚，她是一个不到十岁的小女孩儿，她背着背篓，满满一背篓青草，想是割来喂猪的。在她跨越公路的时候，正碰上一辆运载沙子的卡车被水坑颠得几乎滑下深渊。司机气得跳着脚大骂，好像是谁给他故意为难似的。骂完了，才猛地关上车门把车开走。小姑娘蹲在水坑旁，看了又看，从背上卸下背篓，把背篓里的青草全都倒在水坑里，还摇了摇背篓。女孩好像很得意，笑笑，拍拍自己的一双小手，转身重新背上空背篓，跨过公路，仍然沿着那条羊肠小道，向山下走了。

显然，一背篓青草对于这个水坑是无济于事的。但她的出现说明：并非“没有一个人”想到去征服这个“赋给了生命似的”怪物。

浪掷青春

有一位朋友问我：当你回顾你的青春时光，你的最大遗憾是什么？

我的回答是：浪掷了青春。

我的朋友说：不！我了解你。你在童年的时候，战争频仍，国破家亡，亲人被敌人杀害，终日以泪洗面，很小就流亡在异乡，经常处于半饥饿状态。少年从军，行军作战，连睡眠的时间都很少。随时随地，只要有“就地休息”的命令，你就会立即倒地沉沉入睡。在战争中，休息是为了紧接着的前进和冲锋，因为你不知道，什么时候再有机会把脸贴在亲爱的泥土上。你的青年时代更是身不由己，从50年代中期开始的历次政治运动，你均未能幸免。姑且不说十余年失去自由的时间，那长期的批判和自我批判，痛苦、悒郁、屈辱和绝望，就够你招架的了。你能做什么？你想做什么？!

我不能同意：这些全都不是理由。谁在生活中没有困厄呢？任何人——包括上帝、孔子、释迦牟尼那些被称为神圣的人，都不能随心所欲地左右他们自身所处的客观世界。他们遭受的灾难和干扰比任何人都要多，何况我们这样的凡人。一切落叶乔木都不能绕过秋冬，永远留在春夏。问题全在于自己，任何藉口都是自欺欺人。俄国文学家车尔尼雪夫斯基的名著《怎么办》是在沙皇政府的彼得保罗要塞完成的，长期的苦役、流放、监禁、贫病和监视居住，使他的思想更加成熟，从未间断过著译工作。陀思妥耶夫斯基的境遇尤其险恶，他曾经经历过死刑判决，并绑赴刑场，在刑场上才突然改为四年苦役的。在西伯利亚鄂木斯克要塞的监狱中癫痫病的不断发作，使他痛苦不堪。但是，他的文学和思想正是成熟于他的极度痛苦之中。思想常常和珍珠一样，是痛苦的结晶。他的不朽之作《死屋手记》就是构思于恐怖和困惑的炼狱之中。还有许多学者的外国语文都是在监禁中学会的。每当我想要直接阅读外国原作或要直接和外国朋友交谈的时候，心里就非常懊丧。我曾经有过大把大把的时间，都在痛苦、悒郁、屈辱和绝望之中流逝殆尽。当我 80 年代第一次攀登黄山，面对千姿百态的黄山松的时候，才猛然羞愧地省悟到：每一株雄姿英发的黄山松，都是在日日夜夜的狂风摇撼下自我完成的。即使那些主干被雷光电火摧折断裂，它们全都重新生出了两个或多个主干来，傲然屹立，迎风起舞。风的目的是把它们连根拔掉，或者把它们扭曲成丑八怪，其结果，和风的本意完全相反，他们甚至比受伤前还要英俊美丽。为了不被打倒，它们都把自己的根须深深地伸进岩石的缝隙里。

我的朋友说：你的自责太苛刻了！

我说：可是，这种苛刻的自责已经为时甚晚，但对于我的有生之年仍然有用……不是吗？

我的朋友终于首肯。

墓园奇遇

清明节前后，差不多有半个月，每天从清晨开始，滨海墓地就变成了最热闹的集市了。成千上万的活人，一面吃着各式各样的美食，一面烧纸钱、放鞭炮。有人还带来录音机，大放爱情歌曲。孩子们在一个紧挨着一个的墓碑间蹦跳、歌唱、笑闹。当然，也有人在坟前放声大哭。此时此地，哭，反而让人觉得突兀和蹊跷，疑心他们是在“作秀”。人们在死亡面前是多么的轻松啊！面对千千万万标志死亡的墓碑，却无视死亡！好像死亡已经随着死人远去，和活人毫不相干了。

日落黄昏，墓园渐渐才恢复本来的宁静和寂寞。阵阵拔地而起的旋风把纸灰和食物袋卷向天空，这肯定是幽灵们事后的抗议。这时，我才开始在墓园中寻找先后故去的朋友（他们有的比我年长，有的比我年幼）。在每一位故人的墓前献一束鲜花，三鞠躬，静坐半小时；回想着和他们的相识、相交和分离往事。“君子之交淡如水”，其实是很难做到的。淡，容易；如水一般长远就万难了。忽然，我发现除我之外，在墓园深处还有一个滞留者。我走近他，原来是一位双目失明的老年乞丐。他用耳朵“看”见了我，向我招手，拉住我，颤颤巍巍地用气声对我悄声说："我发财了！"然后从怀里掏出一张比百元钞大4倍的纸币，一眼就能看见"冥府银行"四个大字。印刷精美，花纹细密，色彩鲜艳，可以与世上一切纸币媲美。票面是1000万元。他把嘴附在我的耳朵上极为神秘地说："所有的人都说我这张钞票是假的，只能在阴间使用。妈的！都在嫉妒我，骗我！所有的人都是骗子！我问他们：'假的？何以见得？'他们说：'你的钱是瞎摸来的，来得太容易了！'谁都知道，睁眼人的钱来得比我更容易，为什么都是真的，都能在阳间使用？为什么我的钱是假的，只能在阴间使用呢？你看这钱多新，我从来都没摸过这么新的钞票，硬是可以割破耳朵。你先生是我最后一个要请教的人，请教了你以后，我就再也不问任何人了。你说说，是真？还是假？"我没有回答，反问他："你打算怎么使用这张大票儿呢？""你以为我会破开这张大票儿？不，一破开就散了！1000万啊！到死我都会完完整整地藏在这儿！"他拍拍自己的胸脯。我明白了！既然他在乎的只是一个巨大的数字（在这个人世间，像这样的睁眼人不是也屡见不鲜吗），何必追究是真是假呢！我说："那你就再也别问什么人了……相信你自己。"

间　离

我从不熬夜，尽量不把工作留在夜晚做，老天闭眼就是提醒人们也要闭上眼睛休息。所以我起床很早，每天的都市晨景不可不看。因此，我很为睡懒觉的朋友们感到惋惜。特别是小菜场，那是一幅活动的风俗画。毫不夸张地说：小菜场折射着当前的政治、经济、文化和社会民情。我几乎每天都要到小菜场去买菜，5 点钟，小小一条街已经被买卖双方全部占满了。今儿早上，刚走近鱼市就赶上了一场爆炸。一个买主说卖主缺斤少两，卖主不服，买主大怒，从水盆里抓起一条活草鱼作为雷，掷向卖主，正中卖主的天灵盖。其实，世界大战也就是这么开始的。战争一旦爆发，就不堪收拾了！城门失火，殃及池鱼。我指的不仅是水盆里的鱼，也包括我们这些水盆外的“鱼”。许多无辜者都像落汤鸡，从头到脚，全是污泥浊水。于是参战者扩大，战争扩大，战场也随之扩大。混战之中不仅分不出敌我，也分不清谁是同盟军。复仇雪耻者有之，混水摸鱼者有之，寻衅闹事者也有之。但大多数人是在烦躁中被激怒，本来就够烦的了，又碰上祸从天降。真是火上加油，打！这就干上了。唯有我这个受害者，不进，反而退却了下来。是怕吃亏？还是生性懦弱呢？不！我要是正面进攻，可能成为众矢之的，招架不住。但是，我可以打游击。比方在左侧的摊位上投掷土豆，或在右侧的摊位上发射卷心菜，都可以百发百中。可我的目标是谁呢？不知道。他们——那些正在鏖战着的勇士们的目标是谁呢？可以说，一切都可以成为他们的目标。那么，他们怎么都不明白这一点呢？我以为，问题在于他们太容易投人了。

而我，多年的生活教训告诉我：遇事首先要有一个自我间离，也就是立即站在一个客观的地位上，观察观察已经发生和正在发生的事情，你就会看得比较清楚。看清楚了，你才明白并不是所有的事都要全身心地投人，这样你才能很容易冷静下来。《三国演义》赤壁大战里的诸葛亮是战争的参与者，但他时时会和他参与的战事保持一段间离，所以他最为清醒。而周瑜就太投人，赤壁大战胜利之后，这位雄姿英发的统帅成了一个可笑的角色。到了芦花荡——柴桑口就被气得一命呜呼了。我的这种间离说，应该归功于一位高僧和我的一次交谈，他对我说：僧人和人世间的关系只是个间离的关系，间离以后，就心平气和了。比方说，人常常可以看到两队蚂蚁的战争。人在蚂蚁世界以外，所以人对蚂蚁之间的战争的缘起和它们的愚蠢态度，以及战争的形式感到非常可笑。如果你不是人，是蚂蚁，你一定也会五内俱焚、义愤填膺、奋不顾身。

我必须再一次强调说明，不是所有的事都要全身心地投入，也不是所有的事都不要全身心地投入。譬如：爱情，你能不全身心地投入吗？你能和爱情间离吗？只要你有一瞬间的间离，你的另一位很可能误以为你的心在别人那儿。这可是太危险了！你毕竟不是和尚。

儿　子

每当想到儿子的时候，出现在我眼前的总是他牙牙学语时的样子，他用小手指着自己的袖口对我说："破，破！"是的，那时买米要粮票，买布要布票，让孩子吃饱穿暖都是很难做到的。去年夏天，儿子请我去美国参加他的流体力学博士授予典礼，我忽然产生一个疑问：他怎么会成了一个博士了呢？他指着袖口说破，不就是昨天的事吗？接着我又想到：他要做多少很深的数学题呀！我在小时候最怕的就是做数学题。尤其是儿子在异国他乡做那些抽象而枯燥的数学题，还要打工，还要自己做饭。在家里的时候，我们从来都不让他进厨房！让他去写他喜欢写的诗。我在去美国的飞机上，想象着：博士嘛！一定是很成熟了。见到他以后，觉得他的确有了一个成人的外表，可是他的情感依然和牙牙学语时差不多。他仍然像儿时那样依恋我，亲近我，甚至把他认为好吃的食物塞进我的嘴里。去年除夕，儿子回到上海，我发现他会喝酒。于是，很久不喝酒了的我，开始和儿子对饮起来。户外，飘着雪花。围着一个热气腾腾的砂锅，一杯一杯地干着五粮液，一直喝得我的两眼泪汪汪的。微醺，是醉于酒？还是醉于情呢？我想：二者都有。我当时什么话都没说，只是想着：多年来，我愧为人父啊！儿子竟然是在我的忽略中成长起来的，从他懂得指着袖口说破那时起，我何曾尽过父亲的责任呢？

今天又是除夕了，儿子！好想和你喝酒……

满院春光

小时候过年印象最深刻的是除夕，也叫“大年三十”，而不是正月初一、初二、初三、“破五”，和十五的龙灯会。除夕的气氛最让孩子们感动，通常都是一个无风的雪夜，冻得通红的小手把红爆竹插在洁白的雪地上，用香火颤颤巍巍地去点那很短、很细的捻儿。好不容易点着了，就赶快捂耳朵扭过脸去。虽然对祭祖的繁文缛节和祭品都毫无兴趣，但必须跟着父亲背后行礼如仪。否则，不仅得不到压岁钱，还要挨打。拿到了压岁钱以后，上眼皮和下眼皮就开始不断地打架了，想赶快躺下做上街买甘蔗、买琉璃球的梦。但按规矩还要通宵熬夜守岁，为什么非要守夜？不知道。只好在女人堆里帮忙包饺子，结果当然是越帮越忙，弄得满面白粉，像个戏台上的三花脸似的被轰走。正好去看父亲写春联，当他写院子照壁上“满院春光”四个字的时候，我特别感到惊奇。他竟能用那样大的毛笔，写出那样大的字来。接下来就是帮忙张贴，那时的我只能拿刷子，提浆糊桶，假模假式地喊几声：高了！低了！偏了！正好！贴好春联，公鸡也就开始比赛着鸣叫了。家家户户都放起了鞭炮，大户人家放的是万子鞭，一直响，像是没个完似的。这时候，饺子已经熟了。吃完饺子，一出屋，就觉得真的是满院春光！我立即想起一句背诵过的古诗："晴雪梅花照玉堂"来。上街看人景，是大年初一第一件赏心悦目的事了，走上街的人都穿着压了一年箱底的新衣服，连终年露着光屁股担水卖的傻大个儿都不再露屁股了，他居然有了一件皱皱巴巴的土灰色的棉裤。

我原以为，以后年年的除夕都是那样无忧无虑，都是那样快乐。谁知道八岁以后我就再也没有那样的除夕了。9岁的那年父亲被日本宪兵杀害，全家每一颗心日日夜夜都沉浸在泪水里。母亲支撑着这个安在废墟里的家，一落千丈的贫寒和凄凉，弟弟妹妹比我更小。可年总得过呀！母亲是女人，祭祖、上供只能是当家男主做的事情，当然就落在我和孪生兄弟的头上。母亲在旁边教我们，做什么，祷告什么，我俩像个初次登台的业余演员。最使我感到震动的是：母亲把写春联和照壁上的"满院春光"4个字的重任交给了我，我必须站在小板凳上才能够得着桌子。虽然我曾经多次梦想写"满院春光"4个大字，当我真的握着大号毛笔的时候，感到由于眼眶里全是泪水而看不清笔尖，我强忍住才没有哭出来。我突然意识到这只笔不该我拿，应该是父亲呀！祭祖、上供也应该是父亲呀！属于我的应该是跟在父亲身后无事忙，应该是吃，应该是笑，应该是闹！可此刻我握着本来应该父亲握着的大号笔。在这个院子（实为瓦砾场）里会有春光吗？春光在哪里呢？眼前一片灰朦朦的。我是那样的悲哀！那样的无助！我从未写过这么大的字……但我还是竭尽全力写下了“满院春光”4个斗大的字。当我丢下笔的时候，我看见母亲正在烛光的阴影里抹着泪……

小巷没有记忆

15岁，抗战胜利。

结束了离乡背井、饥寒交迫的流亡学生的生活。回到半城废墟、半城落叶的家乡小城。

考取了刚刚从大后方迁回小城的师范学校，那是一所中国最早创建的、有数的新学堂之一。参加了学校胜利后的第一次话剧演出，而且在剧中扮演一个初恋的情人。第一次排练我就被舞台上的意中人（一位同级不同班的女同学）吸引上了，可惜，所有人都有觉察，只有她不知道。在演出的时候，导演考虑到小城观众的观念，删去了剧本中的“初吻”。不知道为什么，每一次出场，我都不由自主地把“牵着她的手走向长辈们”的提示省略了，虽然她每一次都大大方方向我伸出手，我无论如何都不能像她那样，把手伸向她。每一次演出以后，导演都要责备我，我答应下次改正，可总也改正不了。我曾经许多次故意走过她的家门，那是一条狭窄得只能两人错肩而过的小巷，她家门前有一口小井，井台缩在一座半圆形的小亭子里。我总希望在小巷里和她狭路相逢，可又担心她突然出现在我的面前，使得我措手不及，所幸这种奇迹压根儿就没有出现。我也曾经多次想扣响她家的门环，实在找不到一个站得住脚的理由。

第二年，我转学到了外地。在外地开始和一些高年级的同学参加轰轰烈烈的学生运动，结社，秘密印刷传单。在那些惊心动魄的日子里，我仍然时时都思念着她。匆匆又是一年，暑假回家第一天晚上，突然想到：这不是非常光明又正大的理由吗！把她拉进我们走向光明的队伍里来！这念头既诚恳而又冒昧，既可爱而又天真。第二天，我抱着一叠被当局查禁的书刊，重重地敲响了她家的小门。应门出来的正是那女孩，她很意外。看得出，也有点高兴。我早就听说她的父亲是一个旧军人，像许多旧军人那样，军队换了防地，他们也趁机换了妻子、儿女。只落得母女相依为命，靠妈妈在一个小学里当教师的微薄工资，过着简朴的生活。她俩接待了我。她们家的院子很窄，只容得下一座长方形的小花坛。一共只有三间低矮的住室。我被刚刚让进她们的堂屋，就很自信地说明了我的来意，也讲述了我对当前局势的认识，介绍了各地学生运动的情况。她们母女为我沏茶，请我和她们一起进餐，她们的午饭除了米饭，只有一碟青菜和一碟豆角。但从我来到我走，对于我的话，她们却一个字的回应都没有，好像我什么都没说过一样。我把书留在她们的桌上，她俩面面相觑，但没有拒绝。一周后我又带着一叠书刊去看她们，仍然是我在滔滔不绝地讲，她们听着、微笑着，一语不发。在我告辞的时候，她把上次我留下的书刊放在我的手里。她送我到门口，为我开门，我第一次和她站得这么近。我问她：书读了吗？有什么感想？她的头歪了一下，笑笑，没有回答。每一次都是上一次的重复，我又找不到哪怕一次单独和她长谈的机会。我能感觉得到，她的妈妈像带着一只宝贝鸡雏的老母鸡一样，时时都用翅膀荫护着女儿。

秋天，我将要秘密奔赴战场。带着浓浓的自豪和淡淡的哀愁去向她们告别，希望她们有一个双重含义的答复，而她们依然是微笑无语。最后，在我向门外走去的时候，她的母亲对我轻声说：我们是一个很小的家，两个很弱的女子，再也经不起一丁点风雨了……这大概就是她们为什么永远没有态度的态度吧！可能，我已经把她们吓坏了。那时候，我是多么的简单！竟以为每一个孩子都像我一样，是深秋原野上的一棵荒草，在阳光下就会自燃。

她最后一次送我到门口，为我关门，我站在小门外，没有立即离开，门缝在我眼前渐渐、渐渐由宽变窄，而后终于完全消失……

几年以后，我再一次走进那条小巷，我轻声问：小巷！你还记得我吗？

当我心惊胆颤地扣开那扇小门的时候，应门的是一个中年男子，他说他是那女孩的舅舅。

她和她的妈妈呢？——我问。

不知道，1949年春天，我们在战乱中失散了，我一直在寻找她们，但，毫无音信……

太阳雨

1938年初夏的一天。一大早，小城天主教堂的大厅和走廊的水泥地上就坐满了人。他们并不都是圣母玛丽娅的信徒，大部分是在日军飞机空袭开始的时候才皈依上帝的难民。中午，敌机飞临小城上空，一次又一次呼啸着俯冲下来，哒哒哒哒哒……扫射着掠过屋顶。难民们都把头夹在两个膝盖中间，不住地默念着：圣母玛丽娅！圣母玛丽娅！唯有一个8岁的男孩儿，津津有味地仰望着又长又宽的窗户，每一扇窗台都是一幅彩色玻璃镶嵌的图画。图画里有人、有羊、还有花朵，真好看！在十几架飞机的轮番扫射过后，世界突然变得反常的宁静。但谁也不敢动，更不敢说话，人们确信敌机上的飞行员能听见屋顶下的说话声。而且人们都知道：狂轰滥炸往往是在第二次空袭时发生的，敌机会突然去而复返。那男孩儿可没想这么多，他悄悄地离开了大人，从一条被葡萄架隐蔽着的小径穿过去，溜入一座墙上爬满藤萝的小楼。多么悦耳的声音！是琴声！还有歌声！在这个时候？在这儿？——男孩儿觉得非常惊讶。于是，他蹑手蹑足地迎着琴声和歌声走去。一扇露着一条小缝的房门，琴声和歌声从门缝里流泄出来。他首先看到的是光滑的地板，然后是钢琴的一角，和一个金发碧眼的年轻修女的侧影，她正在忘情地边弹边唱。男孩儿像梦游人似的从门缝里挤进去，背贴着墙慢慢慢慢地滑坐在地板上。他忘了空袭，忘了一个挨一个坐在地上的难民，忘了整个民族面临的悲惨前景。怎么会有这样一个静谧的美好世界呢！这时，窗外阳光中飞舞着粉尘般的细雨。这就是人们常说的太阳雨吧！他听着歌声，看着阳光在细雨中闪射出的千万条虹彩。一直到那修女弹完最后一个音符。转过身来，才发现那男孩儿。男孩如梦方醒，慌张地站起来，想逃。修女用纯正的中国话叫了一声："不怕！"男孩儿才站在原地没有动。修女让男孩儿坐在自己的身边，问他："你听得懂吗？""不懂，嬷嬷！只觉得好听。""是吗？我是奥地利人，这是我们奥地利作曲家舒伯特作的声乐套曲《美丽的磨坊女》。舒伯特的歌是世界上最好的歌。""舒伯特？他还住在你的家乡吗？嬷嬷！""不！他住在天国里，孩子！他在一百多年前就去世了。""啊！嬷嬷！真好听呀！太好听了！"那男孩儿的赞不绝口，感动了那修女，她又给他重新弹唱了全部20首歌曲，一首一首地解释给他听。应男孩儿的请求，其中的第十首《泪雨》和最后那首《小溪催眠曲》弹唱了两遍。黄昏时分，男孩儿走出教堂，他发现小城的一半都成了废墟，废墟上飘荡着浓烟，闪烁着火焰，同时还传出女人和孩子的哭泣。炸弹是什么时候落下来的呢？为什么一点爆炸声都没听到呢？舒伯特的歌强过敌机的炸弹么？它是很轻柔的呀！——男孩儿惊讶得目瞪口呆。后来，在那男孩儿的人生旅途上，他曾经听过无数遍舒伯特的《天鹅之歌》、《圣母颂》和不朽的《未完成交响曲》

(Unfinished)，特别是当他处于逆境的时候，他倾听着舒伯特心灵的呼声，像许许多多舒伯特的爱好者那样，千万遍地猜测着舒伯特为什么未完成……？为什么？

在过了整整半个世纪以后一个春天的傍晚，当他站在维也纳名人陵园舒伯特墓前（舒伯特紧挨着贝多芬）的时候，才恍然大悟：啊！所有的天才不是都未完成吗?！舒伯特的每一首乐曲和歌曲，都是在饥寒交迫中创作的。他在18岁的一年间，就谱写了144首歌曲。31岁不幸夭亡的舒伯特，临终那年（1828年）春天，才举行了他一生中唯一的一次音乐会。他才以那一次的微薄收益，自己购买了一架钢琴。他几乎是从10岁就开始作曲了！仅歌曲，就给我们留下了600多首。从200年前的今天（1797年1月31日）舒伯特诞生那天起，他的生命就像他家乡的蓝色多瑙河一样，奔流不息，奔流不息不就是未完成（Unfinished）吗！

天才，永远未完成；庸才，一出生就完成了。

那个不幸而又幸运的男孩儿，在炸弹、太阳雨和舒伯特并存的世界上，至今都还苟活着。他就是我。

我陪贺龙元帅看篮球赛

篮球运动在我国开始火得很早，而且比较普遍。我记得，即使在频繁的野战中，我们旅的山炮连驮炮的骡鞍上，总是挂着几只篮球。只要有一天以上的休整，战士们就在村子里的打谷场上竖起临时支起的篮架，连对连，营对营，团对团的比赛就开始了。场场比赛火药味都非常之浓，球场完全不亚于战场。观众很踊跃，几乎是除了哨兵以外的全体指战员，而且情绪非常热烈。我想，当时的观众，除了荣誉的追求以外，就是欣赏队员们的精湛球艺了！那时还不懂什么叫做球星，但我们都把那些球艺高强的战友称为突击手。

这些突击手，在战场上也都是突击手。每次在一个重大战役之后的大休整，都是一个篮球的大赛季，在一个新赛季看球赛的时候，总会勾起一些非常忧伤的情绪来。因为很多上一次参赛的突击手，在球场上消失了，不言而喻，他们已经牺牲在战场上。直到战争在全国范围内结束，各军、各师才建立起专业篮球队。再看部队的篮球比赛，也就没有了那种不断失去突击手的忧伤。

50年代初，我曾有一个时期在贺龙元帅身边工作。我就住在他的卧室上面。他最喜欢的业余爱好是：看篮球赛、跳舞、钓鱼、狩猎。每每总带上我。他最喜欢篮球赛，也是行家里手（抗日战争时期，他率领的八路军120师是最早拥有专业篮球队的部队）。他看篮球赛，喜欢随时说出自己的判断来，有时声音会很大，不仅他周围的观众能听见，场上的指导、裁判和队员都能听见。他句句都说在点子上，而且语言幽默，经常能引起一阵阵令人信服的笑声。有一次他问我："我讲得对不对？"我说："很对。""不过我跟个别人不同，我是君子动口不动手。个别人是既动口，又动手。有一位司令员看见自己的球队输了，他竟然会跳到场地里去。提起自己部队一只篮球队员的耳朵大喊大叫：'你给老子往里丢嘛！'岂有此理！他幸亏只有一只独胳膊，他要是有两只手，那还了得！我是狠狠地批评了他的。平时不烧香，临时抱佛脚嘛！你把他的耳朵提下来，他就能丢得进？一个带了大半辈子兵的人！养兵千日，用兵一时。只养不练，糟蹋干饭。不过，这些道理他还是懂得的，仗也打得不错，立了好多的战功。就是性子太暴躁了！到时候就输不起了，输不起的人也就赢不起。赛球，像打仗，说到底又不是打仗。战场上前沿顶不住，你冲过去吼上两声，可以！有时候，很见效。球场上有球场的规矩。再说，在看台上，你既没资格当指挥员，又没资格当战斗员。大不了，你只能是个立场鲜明的看客嘛！"我当然知道，贺龙元帅说的那个个别人，是他的一名爱将，赫赫有名的独臂将军贺炳炎。一直到现在，每当我看篮球比赛的时候，都会想到贺龙元帅的这段话。

篮球在今日中国走向市场，能否热得起来？纵观历史，横观世界，窃以为：首先要有球艺精湛并获得大量观众疯狂喜爱的球星。不同的球队，风格可以标新立异，但都会竭尽全力进行拼搏，来维护自己的荣誉，也就自然而然会有千千万万贺龙元帅说的那种“立场鲜明的看客”，篮球如果还不热，那才叫怪呢！

在维也纳寻找贝多芬

那是一个时而晴朗、时而飘着雪花的3月，我在维也纳默默地寻找着贝多芬。即使在维也纳，贝多芬也是很难找到的。虽然他从1792年11月就到了“德意志音乐的首都”维也纳，在那里生活了35年，乔迁过30个寓所。而且，几乎他所有的重要作品都是在维也纳完成的。1827年3月26日，“他在大风雨中，在大风雪中，在一声响雷中，咽了最后一口气。一只陌生的手替他阖上了眼睛。”（罗曼·罗兰:《贝多芬传》）那所宅第就坐落在黑色西班牙街上，一百多年来，一直保留为贝多芬纪念馆。但我在黑色西班牙街听到的是最后一个低沉的音符，看到的是一个凝固了一百多年的悲剧的终场，却没有看到贝多芬，没有！

在贝多芬的忌日那天，我走进维也纳森林的海伦娜山谷，过了一座湍急溪流上的小桥，就是人们说的“贝多芬小路”了。路两旁堆积着去年的黄叶……树枝上刚刚有些绿意。小路旁边竖有一块绿色的牌子，上面写了一段贝多芬1815年的日记：“恍惚大地上的每一棵绿树都在向我述说。神圣啊！神圣！森林里的一切都让人心旷神怡。谁能把这一切用语言来表述？森林里的甜蜜和静谧……”罗曼

·罗兰证实：他的“耳朵完全聋了。从1815年秋天起，他和人们只有笔上的往还。”可他竟然还能听见了大自然和自己的对话！多么神奇啊！我相信，他一定能听见大自然的语言，因为大自然的语言是神明的语言。否则，人类的损失就太大、太大了！在离开地面约两公尺的粗糙的峭壁上，雕刻着青年贝多芬的半身像。路旁有一块贝多芬经常歇息的岩石。这时，我真正找到了贝多芬！听到和看到了他！我悄悄地坐在贝多芬的身边。他的右手轻轻地敲击了一下岩石，神秘的LA—MI的和声从天而降。在他整个灵魂的领域里，轰然出现一个D小调的动机。这个动机带着他回顾了自己痛苦的一生。我看见，阳光落在他那饱满的前额上，很快就移去了，留下的是淡淡的愁云。雪花落在他的眼窝里，很快就融化了，留下的是浅浅的泪痕。接着，林中一只对春天最敏感的小鸟啭鸣起来，引出一段春天的牧歌。之后，热切的和平祈求与无奈的人生惆怅交替出现，号角声像是渐近，又像是渐远。最后，美妙的合唱在大提琴的带领下升起。唱的是什么？他全神贯注地倾听着：是席勒的《欢乐颂》！对！是的！“拥抱吧，千万生民！/把吻送给全球。”欢乐和爱是一体的，是分裂着的人类永恒的渴望。但在器乐和人声中，不是理想地体现出了人类的融合么！——贝多芬一跃而起，一路看着、听着、欣赏着、携带着他所创造的美丽欢乐新世界，回到自己的住所。当晚，他在谱纸上绘出了海伦娜山谷里的一个辉煌的白日梦——那就是伟大的《第九交响乐》。

曼德拉起点的高度

经历了342年残酷的种族压迫和无数次反抗、流血与毁坏之后，南非大陆的土地上一片欢腾，各部族的黑人那些为斗争的步伐伴奏的战鼓转而为歌舞伴奏了。此时此刻，我想起曼德拉在1953年发表的著名演说《自由之路无坦途》。仅这个题目就说明曼德拉是一位高瞻远瞩的黑人领袖。从1953年到今天的41年间，他在狱中度过了整整27个春秋，这就足以印证南非黑人通向自由之路是何等的坎坷了。曼德拉出生于特兰斯凯一个黑人酋长的家庭，他的父亲生养他是为了要他继承父业，接替乃父去统治一个受压迫的部落。但他拒绝了。这个拒绝所需要的勇气并不亚于后来整整50年的浴血奋斗。他的斗争和胜利证明他不但是一个黑人酋长的儿子，而且是南非各种族人民的儿子。这个受过高等教育的年轻人，一开始就认识到：南非黑人自由的争取并不意味南非白人自由的丧失。5月9日他在当选总统以后的演讲中说："种族隔离的结束是全体南非人民的胜利。"他呼吁"促进和平与和解"。今天，全世界许多地区常常是一个受压迫民族或种族翻过来去步压迫者的后尘，再去压迫别人，再去剥夺别人的自由和生存的起码条件。这往往是那些见识短浅的政客们的怂恿，以此来取悦民众，巩固自己的地位。其结果是：付出过流血牺牲的高昂代价，却只是为了以仇恨赢得仇恨。这就使得战乱不已，和平居民尸横遍野，流离失所。其实，以仇恨赢得仇恨从来都是一切原始部落械斗所要达到的目的。中国边境少数民族称之为：打冤家。世世代代地打，好像人人都是为了复仇才活着。不幸的是：许多生活在现代的民族还沉溺于原始部落的恶梦里。曼德拉在当选总统的第一天就高呼："保证全南非人的自由！"这是一位真正的胜利者充满自信的声音。最具有戏剧性、也最能说明曼德拉精神的就是：曼德拉在数十名世界各国领导人的观礼下举行就职典礼前，发了一张嘉宾请柬给以前罗本岛上监管他的白人老狱卒詹姆斯·葛里高里。

一个民族从一个比较低的历史阶段向一个较高的历史阶段飞跃之前，首先，她的领袖人物要有一个理念认识的飞跃。我听到过一个这样的古老传说：很久以前，大雁不仅不能远征，也不能高飞。某一个春天，当许多小雏雁破壳而出的时候，其中有一只与众不同的幼鸟，或许是一只神鸟偷偷在雁巢里下的一只蛋孵出来的（讲故事的老人在无法解释的时候，总是把神请出来）。当小雁们的羽翼丰满的时候，那只特别的雁突然非常响亮地拍着和大家相同的翅膀一跃升空。它的那些世世代代从未起飞过的同类也一齐奇迹般地应声而起，按照先行者的样子和节奏飞翔着，好像它们从来都会飞似的，自然而然地在空中排成整齐的队形……后来，一个伟大的民族在发明象形文字的时候，从美丽的雁阵联想到了人自身的形象。于是，汉字的"人"就诞生了。

曼德拉就是雁群中那只领先冲天飞起的、与众不同的雁，一开始就升上了一个令人必须仰视的高度。当然，任重而道远，未来仍然是一条十分艰巨的征途。

接受和拒绝

5月9日，纳尔逊·曼德拉在几乎毫无反对的一片欢呼声中，被多种族议会选为南非第一位黑人总统。在南非，这无疑是一个翻天覆地的变化。整个南非，特别是黑人，欣喜若狂。连日来载歌载舞，如痴如醉。“我们自由了!”曼德拉所说的“我们”并不仅仅是指各种族的黑人，也包括那些曾经制定和坚持种族隔离政策，而今天已经不再坚持了的南非白人。最有说服力的一件事是：5月7日在比勒陀利亚总统宣誓就职大典上，嘉宾席里有一位曼德拉特别邀请的客人——以前在罗本岛监管过他的老狱卒詹姆斯·葛里高里。曼德拉的宽阔胸怀给南非经历了342年残酷压迫和多次毁灭的黑人兄弟树立了一个和解的榜样。因此，南非的和平前景是可以乐观的。曼德拉出生于南非东部特兰斯凯一个黑人酋长的家里，毕业于南非大学和威特沃特斯兰德大学。毕业以后，他的父亲要他继承酋长的权位，曼德拉坚决地拒绝了。曼德拉不愿以酋长身份统治一个受压迫的部落。在非洲黑人中间，持这种态度的黑人酋长的儿子实在是绝无仅有。有不少酋长的儿子受过高等教育，毕业后仍然回到部落里当酋长，少数人通过政变登上国家元首宝座,但他的思维模式和生活方式仍然和原始酋长一样。

人在活着的时候，接受是容易的，而拒绝一点什么却极为困难。曼德拉在很年轻的时候断然拒绝了世袭酋长的权位,投身于为民族解放的正义事业,半个世纪,3次入狱,在狱中度过了27个春秋。其间，他又有过一系列的拒绝，如：拒绝妥协，拒绝叛卖，拒绝利诱……

1950年初，我也曾经接触过一些年轻的少数民族头人，他们中不少曾在外地、甚至在外国受过教育，但他们却没有人拒绝过头人的权位。令人大惑不解的是：头人的日子也并不好过。他们在山林中的府邸十分简陋，夜晚还要靠松明火照明，泥地上的跳蚤就像一层跳动的芝麻，吃的是荞麦粑、玉米糊和稞麦粉。最豪华的宴请是用大锅煮一头牛、一头羊或一头猪，毛都刮不干净，内脏也没经过仔细的清洗。出门就是险峻的羊肠小路，头人也只能骑马。一个出过洋，在雪亮的电灯光下学习过现代文化、科学的人，怎么还能安于他们自己家族世世代代不变的落后状态呢？我问过几个头人，他们的回答几乎是同一句话：“当头人太自由喽!”他们说的“自由”是剥夺千千万万人的自由而得到的“自由”，主要指的是对奴隶任意侵害的自由，无限压榨、占有的自由，包括占有奴隶的妻女。在头人领地之内，每一座村庄都有供他玩乐的妇女。我也听到过个别头人的反省，他说：“我在读书的时候，发誓绝不回去当头人，可回到家乡就怎么也拒绝不了千百年的家规，拒绝不了权利的诱惑。娃子（奴隶）在头人面前连头也不敢抬，要他死他就不敢活。当头人硬是威风得很!”

曼德拉和别的非洲黑人部落酋长的儿子不同之处就在

于：他有勇气拒绝与他的理想相左的一切旧观念和以压迫为基点的权力的诱惑。他的理想来自现代文明和全世界各民族在变革中的经验教训。作为南非联合政府总统，在就职第一天他就认识到任重而道远，必须尽快解决南非大多数黑人的贫困。50年前，曼德拉断然拒绝了统治一个受压迫的部落酋长的权位。50年后，他毅然接受了领导一个和解与争取自由、民主的南非总统的权位。而今天曼德拉面对的种种诱惑和惰性的吸引，比以往要大无数倍，接受什么？拒绝什么？还有没有足够坚强的意志和力量去拒绝？这是至关重要的。今后，南非各族人民和全世界人民将拭目以待。

泪

今年春天,伟大的罗丹作品原件远渡重洋在上海展出。一位从外地来的少女，一进展厅，首先看到的是那尊绿锈斑斑的《思想者》。她先是颤栗了一下，而后惊愕地大睁着喜悦的眼睛，一会儿，她的泪珠成串地落下来了，继尔嚎啕大哭。事后别人问她：为什么？她说：我也不知道。不少人觉得难以理解，我却相反，很理解她。人并不是只在悲剧面前才失声痛哭。

我的童年和少年时代，由于国破家亡，经常为生离死别、为备受欺凌、为抗争乏力、为遍地饿殍、为血流成河、为前途渺茫，流了许许多多的泪。后来走上陈尸遍野的战场，反而没有泪了。青年时代，在历次政治运动中我都是批斗对象,人格上受到长达数十年的社会误解,但没有泪,只有失望、迷惘、百思不解,最后也就麻木了。1976 年 10 月 7 日深夜，一个朋友通过军用长途台突然从北京给我打了一个电话，他告诉我：来自上海的张、王、姚和那个女人昨夜八点半抓起来了。真的吗?还有那个女人?真的,有那个女人。我的泪立即像小河似地淌出来了，湿透了我的前襟。我大喊起来：我还会哭！我还会哭啊！

1985年初冬，我参加一个电视片的拍摄，在旅途中的一个傍晚，当我和日本影星中野良子小姐步入餐厅的时候，发现一张方桌上点亮了一片红烛。朋友对我说：您数一数，数一数。我数了，55支。我一下就悟到了：今天是我55岁的生日。这个日子早就被痛苦深深掩埋在记忆的底层了，他们又为我重新挖掘了出来。我无法控制地泪如涌泉。导演立即返身奔上四楼扛下摄像机，录下了我的声泪俱下的即席讲话，当时，中野小姐也哭得像泪人儿似的。许多人在电视里看到这段情景，误认为是我的精湛表演。我确切地知道：我又会哭了。后来，当我第一次看到刀斧下幸免于毁灭的九寨沟惊人美丽的森林和湖泊，当我在白马雪山上第一次看到红杜鹃像火焰一样燃烧着积雪，当我在巴黎卢浮宫第一次看到《蒙娜丽莎》，当我在柏林第一次听到卡拉扬指挥柏林交响乐团的演奏，当我第一次在维也纳森林踏上贝多芬走过的小路、抚摸着他依偎过的岩石，当我在“文革”后第一次看到关肃霜复出的演出，50岁的人，在《破洪洲》中还依然雄姿英发，用靠旗“打出手”，打得花团锦簇，掌声雷动……我都哭了，哭得很恸。如果有人问我：为什么？我的回答也会像那位在罗丹《思想者》面前痛哭失声的少女一样：我也不知道。

总之，现在我比童年时的眼泪还要多得多……

人格的发展

今年是一个全球性百年不遇的酷暑。90高龄的文学巨匠巴金老人还在写作，日前发表了一篇在7月29日完成的作品，令人惊喜。那是一篇怀念一位亡友的文章。20年代的诤友卫惠林和他同去过巴黎，40年代分别，80年代又重逢，交谈十分融洽。由于“谈起一件小事，不知怎样他生了气，批评我不敢讲真话。我不接受批评，但也不曾反驳。这样一来我有些话也没机会倾吐了。”不想这位老友一去再也未能见面。巴老在卫老先生去世的时候，发了一封唁电。其中有一句感激的话：“对于我的人格的发展他有大的帮助。”看来这就是巴老没有机会向老友倾吐的心里话了。文章中还写到卫老先生的一个患癌症的女儿小胖，她是一位从美国回来的建筑学家，她想把有限的生命和智慧留在自己的故土，“修建广厦千万间……然而她失败了。”巴老的文章感人至深。

好久都不大听说人格二字了！似乎人格对于有些人是无关的。但不管人们承认不承认，人人都有一个人格发展的问题。人格的发展要受到各种因素的影响，交友是很重要的一个方面。潮流、社会风尚和价值观对一代人的塑造太重要了！众多的人都在用自己的生命历程讲述着一个生动的成功或失败的故事，无形中时时刻刻都在影响着别人——特别是年轻人。

每一个时代的人们都有数不清的故事，不仅有反映人的成功和失败的故事,还有反映人的高尚和卑鄙的故事。问题是人们在怎么讲自己的和别人的故事。我们经常可以看到那些一掷千金的大款们，用他们的言行、金钱、房车、情妇、宠物有声有色地讲述着一个又一个弄虚作假、贪污受贿、杀人越货、祸国殃民但依然逍遥法外的故事。或缉拿归案，在法庭最后审判的时候还若无其事，俨然一副英雄状。去年，有一位女作家在上海一家美发厅洗头，听见一位妇女问另一位妇女：好多辰光没见侬，侬啥地方去了？另一位妇女大声回答说：侬哪能勿晓得？有人把阿拉包起来啦！她这句话的效果应该是一语惊四座。但让人深感遗憾的是：满满一屋子妇女没有人感到吃惊。甚至还有人向那只自鸣得意的金丝鸟投以艳羡的目光。使得那位女作家一想起这件事就脸红。那位妇女大声用最简练的一句话，描绘了她自己的形象和一个可耻的故事，相反她却觉得自己光芒万丈。试问，如果在场的是一些不谙世事的少女，当她们问明白了“包起来”的实际内容，加上阿姨、姐姐们不以为然的态度，她们会得出一个什么结论呢？无怪各地扫黄屡扫不绝。单单靠执法的法庭能帮助所有人的人格发展吗？显然是不可能的。如果众多的眼睛都理直气壮地闪射着正直高尚的光芒，直率地表达对正义的支持和对邪恶的憎恶，我们的全社会将会有许许多多无形和无声的道德法庭。

在一个人的人格发展的全过程，一定要时时刻刻经得起道德法庭的审判，完美的人格才能最后完成。一个伟大的民族没有大量人格完美的人，怎么能算得上是伟大民族呢！但愿我们每天都听到，像巴老这样人格完美的人讲述他自己和别人的故事。

因黯淡而辉煌

我的朋友M住在巴黎高贵的第6区，每一次去看他，来开门的都是M的侄女伊莎贝尔，她是一个漂亮的金发女郎。在他们家，她是唯一不懂中国话的人，见到我只能嫣然一笑。但我知道，她每一次送走了客人以后都要向家人对来客评头论足一番，特别是对男客。我不好意思问M她对我的评语是什么。关于伊莎贝尔的事，都是M的女友F告诉我的。她说：伊莎贝尔是个多情女子，很容易坠入情网。那年才17岁。但她最爱的是让·雅克。让·雅克是一个书店的店员，相貌英俊，衣着入时，风度翩翩，谈吐中经常引用18世纪那位让·雅克（卢梭）的语言。使得伊莎贝尔终日神魂颠倒，这在今日巴黎的女孩中很少见。让·雅克偶尔也会应伊莎贝尔之邀在卢森堡公园会一次面，但从来不去她的住处，也不在自己家里和她约会。他们也像卢梭和乌德托夫人那样“面对面地用过晚餐，然后两人到树丛 深处，在那细碎的月光下，经过两小时最热烈、最缠绵的私语之后……在半夜里离开树丛和朋友……身和心和来时一样无瑕，一样纯洁。”她是那样渴望完全得到让·雅克，但让·雅克用卢梭的语言和口气对她说：因为我太爱你了，我才不想占有你。伊莎贝尔总是抱怨他不能像她爱他那样爱她。抱怨的结果却适得其反，让·雅克越来越不肯赴约了。在电话里，每一次他都能说出最有说服力的理由，而且态度温和，挂电话之前从不会忘记说一声：想你。伊莎贝尔为此愤怒、悲伤、大哭大叫，大笑大闹。当然，都是在独自一人的时候。

我和他们一别5年，这次见到伊莎贝尔的时候，美丽如昔的伊莎贝尔依旧是同样的嫣然一笑。我用英语问：

"Remember?"（记得吗？）

"Of course."（当然。）

我问F："她和那个让·雅克有什么结果吗？"

"你希望的结果是什么？结婚？生几个孩子？你真是个中国人。"

"这么说，没结果？"

"自然界不结果的花不是很多吗，我看也很美。"

"是的……他和她早就没戏了？"

"他们创造了一个奇迹，5年若即若离，一个星期之前伊莎贝尔才得到他。"

"啊！今日法国也有如此古色古香的故事？！我应该恭喜她。"

"好呀！你当面对她说，我为你翻译。"

我真的向伊莎贝尔道了恭喜，她笑了。

"谢谢您！但我们已经圆满结束了，是我提出来的，昨天。"

"5年的渴望，只一个星期就……"

"一个星期够长的了，先生！"这真是一个意外的回答。

“我知道你会惊奇。”F又说：“你想知道她关于你是怎么说的吗？”

“当然。”我的好奇心也是很重的。

“让伊莎贝尔自己告诉你吧。”F把我和她自己的意思用法语说给她。伊莎贝尔笑着看看我，想了想说：

“一个5年来一次巴黎的男人，就像一颗由于遥远才黯淡的星星，在想象中当然会比太阳还要光彩夺目。”

我很庆幸，正因为我来自遥远的天际，正因为我来自漫长的5年之后，我才因黯淡而辉煌……我心中由衷升起一种感激之情，由衷地感激那遥远，那漫长……

D 日

6月6日，法国人称之为D日。那是第二次世界大战盟国联军诺曼底登陆日的代号。每年D日，在诺曼底海滩上都要举行有许多前盟国联军老战士参加的集会。据说今年特别盛大，将有50000多位经过严格验证的老战士参加。

50年前的那个6月，英吉利海峡风疾浪高。原定进攻的日期是6月5日，因为风浪太大，云雾遮天，英国首相丘吉尔和联军统帅艾森豪威尔决定推迟24小时。6月6日凌晨，当15.6万名联军官兵在海上和空中开始行动的时候，德军诺曼底驻军司令、纳粹名将隆美尔正在德国的家里酣睡。他是5日回到赫尔林根的。那天是他妻子露西的生日。露西在生日里除了丈夫带回的那双巴黎制造的皮鞋不合脚之外，过得非常圆满。联军登陆的运作完成得也很圆满，但隆美尔和全线德军很快就醒了过来，滩头上的争夺战是极为残酷的。一直到7月底，美国将军巴顿指挥的第三军团对诺曼底一线的德军实行大包抄，给予致命的一击，才使盟国联军主力得以挥师东进，攻克了巴黎，注定了德军在欧洲的败亡。诺曼底一役，双方的伤亡都十分惨重。诺曼底的许多葡萄园都变成了联军阵亡者的永久墓地。

1988年6月5日，风和日丽，我和几位好友访问了诺曼底海滩。44年来的海风把战争的硝烟早已吹得干干净净，人们为了留下记忆，留下思索，留下对千千万万为争夺这一滩头阵地、流尽最后一滴血的军人的怀念，在海滩上留下了一些破坦克和大炮。它们的每个螺钉都已锈死，但这些僵死的庞然大物，不是用声音，而是用仍然高昂着的火炮告诉来访者：战火一旦点燃，就得用亿万人的鲜血才能浇灭。我看见一位老人脚下蹲着一个5岁的小女孩，她正专心致志地用沙子堆砌房屋。老人瘦而高，长长的白眉毛遮掩着一双忧郁的蓝眼睛，穿着一套二次大战时期的英军常服。我指着一辆破坦克问那女孩："你能告诉我们这是什么吗？"她头也不抬就回答我们："Big toy（大玩具）。"说的是英语。老人告诉我们，他们来自英国，他曾经是D日登陆的幸存者。"我只能告诉小孙女，这些都是大玩具。她太小了，我向她无法讲明白D日在这里发生的事情，她的问题又特别多。我在写一本回忆录，写写停停，我想最终我会写完。等她懂得了幸福，同时又懂得了悲哀的时候，再看我的回忆录吧……"老人俯下身去问她："房子堆起来了吗？"女孩十分委屈地说："堆不起来，太难了！"老人说："是呀！宝贝！堆起一点什么来是很难的，可推倒一座、一百座城市都很容易！""为什么要推倒呀？爷爷！"老人立即变得很狼狈，语无伦次地说："不，我……这不是对你说的……不，我说的是有些人要推倒……也许不是什么人，是……是一种像海浪一样的东西……"女孩完全听不明白，仰着脸看看他、看看我们每一个大人，等待着进一步的回答。时至今日，那双一定要问个究竟的大眼睛好像还在注视着我。

那个暴风雪之夜

已是5月了，梅里雪山河谷里繁花似锦，而且有点热。坐在木机上织氆氇的姑娘们，只穿着猩红色的马甲，裸露着一双光洁如玉的胳膊，楚巴（袍子）围在腰里。是个无可挑剔的晴郎天气，一条如同丝带般的薄薄的白云久久地缠绕着山峦。我跟着三个牧羊姑娘赶着羊群，缓缓向高山牧场走去。山越高气温越低。乍暖还寒，牧草刚刚抽芽，紫云英将要淹没残雪，那才是最合适的放牧高度。牧人和牛羊随着春夏交替频繁地向高处转移，等到夏季结束再渐渐往下走。好在只带一顶轻便的牛毛帐篷和一些食物，一头牦牛就够驮了。转场的路上，羊儿一路叫着，啃着坡上的草，牧羊姑娘仍轮流唱着歌。她们还不断把很小的羊羔抱在怀里，因为它们的腿还很软，走不动。在晚霞由红变紫的时候，我们才赶到牧场，牧场傍着一湾蓝色的小湖。支起帐篷、点燃了篝火，天已经完全黑了。羊儿们不仅知道山高风凉，也知道猛兽会突然从林中出击。它们尽可能围着篝火、围着主人们蜷卧着。也许太累，都不再吃草了，也不叫，静悄悄的。煨在篝火边的小陶罐里的水已经哗哗响了，姑娘们忙着拿茶叶、盐巴和酥油，用带来的小竹筒抽打起酥油茶来，那响声在静夜的空旷中清脆响亮。我们一边吃喝一边说笑，油然而生的一种自豪感使我想唱想叫。面对高大的雪山和寒夜，人能立即神奇地创造出一个有声有色的生活氛围。在我们分割牛肉干巴的时候，细碎的雪花飘落下来，四周很黑，雪花好像特地为我们几个人在飘落，火光上闪烁着银片般的亮光。骤然，小帐篷上的布幡“啪”地响了一声。姑娘们紧张地相向注视了一下，立即扔了木碗，七手八脚地折了帐篷，而且抬了大石头压上。然后她们分散开抚摸着那些羊羔，向它们叮咛着什么。我还傻乎乎地坐在篝火边推敲着一行诗句。细碎的雪花落在颈子里，痒痒的。但我注意到那些羊儿都抬起了头。贴着地面吹来的风，像是小男孩吹的口哨。当我不很在意的时候，一阵狂风好像一个妖怪从雪峰上扑下来，一下就把我面前的篝火端上了高空，篝火呼呼燃烧着飞行了一段才落到湖水里。后来，我什么也看不见了，只能听到怒吼的风声和羊羔的哀鸣，以及姑娘们向羊儿们的乞求声。可以猜想到，她们要羊儿们安静，不要动，靠拢些。一张张白手绢那样大的雪片倾泻下来。当狂风差一点把我整个地抱起来的时候，我才伏下身就近搂住一只羊羔。姑娘们大声嚎哭着，声嘶力竭地叫着。羊儿们突然同时站了起来，姑娘们和我都爬过去挡住它们的去路，但羊群失去理性地向我们冲来，把我们冲倒在地，从我们身上踏过去，像雪崩一样被暴风雪推下山谷。第二天清晨，风停雪止，艳阳高照。牧场上只剩下我们四个人和怀里的四只羊羔，其余的羊都跌下山谷，非死即伤。羊儿是多么驯良的动物，而在它们失去了安全感的时候，竟会狂乱如此，虽然结果是悲惨的。多年以后我的梦中还会再现那一夜的情景，使我惊叫着跳起来。

她做到了永远

1986 年 9 月 14 日上午，我在彼得堡（当时叫列宁格勒）拉响了作家陀思妥耶夫斯基故居的门铃，立即想起：在 120 年前的 10 月 4 日一个被人介绍来帮助作家完成一部小说的姑娘安娜，她也是差不多这个时间拉响这个门铃的。当时给她开门的是个上岁数的女人，她立即想到："天哪，这不跟《罪与罚》里写的一模一样吗？这房子，楼梯，铃声……《罪与罚》是从这里来的……"我走进屋内的感受和她一样：非常压抑。不同的是作家的书桌周围用绳子拦着，但我能看到桌上作家使用过的茶杯还冒着热气。故居管理人告诉我，和陀思妥耶夫斯基生活了将近 15 年的安娜，15 年如一日，每天清晨首先要做的事就是点亮烛火、沏上茶。1881 年 1 月 28 日作家死后，安娜仍然每日清晨早早起来，为作家点亮烛火、沏上茶。安娜死后，故居管理人接替了安娜，那茶杯里的茶每天都要更换。陀思妥耶夫斯基向安娜求婚是一件既浪漫而又冒险的事。那时陀思妥耶夫斯基已经 45 岁了，曾是个在刑场上获赦的死囚犯，严重的癫痫病人。而安娜才 20 岁。陀思妥耶夫斯基是在安娜来后的第 35 天提出求婚的。他假托请安娜回答一个疑问，他说他构思了一部新小说，主人公是个画家，岁数和作家差不多，而且未老先衰，受过很多罪，一条手臂瘫痪，他意识到生命已快结束。忽然遇到一个像安娜这样年轻的姑娘，甚至也可以叫她安娜。一个老病交集的人能指望从她那里得到幸福吗？聪明善良的安娜当然可以猜想到那两个虚构的人物正是眼前的他和自己。陀思妥耶夫斯基给她一分钟的思考，“看在上帝的份上，您说，您会怎样回答我？”安娜想了不到一分钟，也可以说没有想就回答了：“我……会回答您……我爱您，我会永远爱您……”任何人，一时的激动，慨然地回答都是比较容易的，而做到永远就极难了。他们婚后的日子并不都像1866年11月8日那么晴朗透明，债台时时高筑，儿女不幸夭亡，作家疾病缠身，由于勤奋写作而几乎侵蚀了爱情的全部……可以想见，安娜这个年轻的妻子太不容易了。但就在这最后的15年，《罪与罚》脱稿，《白痴》脱稿，《群魔》脱稿，《少年》脱稿，在伟大的《卡拉马佐夫兄弟》脱稿后81天，陀思妥耶夫斯基与世长辞了。可以说，他的最重要的著作都是在最后15年之内完成的，给人类留下了无从估量的精神财富。至于安娜·陀思妥耶夫斯卡娅夫人的贡献，仅仅是没有干扰他，仅仅在作家和安娜自己的有生之年杯中热茶常满、烛火高烧，就是一项非常艰巨的工程。且不说她付出自己全部青春少女的爱，生儿育女，患难与共，甚至连速记打印了几百万字都可以不算。

她实践了她在接受陀思妥耶夫斯基求婚时的诺言，她为人类的永远做到了自己的永远……所以我永远都忘不了那张书桌上的那对高高的烛台，那只放在碟子上的茶杯，以及那尊拉斐尔圣母像。陀思妥耶夫斯基最后的一缕微弱的目光，是从安娜的脸上移到圣母玛丽亚的脸上才猝然熄灭的……他的手始终和安娜的手紧紧地握着，至死都没松开……

永远的困惑

坐在时速近300公里的电气列车在日本的新干线上奔驰的当时，我并没有着急于享受它的快、稳、洁净、宁静和舒适，而总是想到四十多年前乘坐过的中国最小、最慢的火车。那就是云南碧（色寨）石（屏）铁路上行驶的小火车，轨距只有0.6米。那是云南当地人集资在1915年——1936年修成的一条全长不足200公里的铁路。我当时正在红河沿线的边防军中工作，经常搭乘这种小火车。像玩具似的蒸汽机车，以木柴为燃料。车厢里只能两排人面对面坐在长凳上，脚都不能伸直，长凳下塞满了被捆绑的小猪和鸡鸭，它们不停地抗议号叫，拉屎撒尿。各民族的乘客，穿戴着各色各样的衣帽，无论男女都抱着毛竹做的水烟筒，咕喽喽，咕喽喽。同时还用各种不同的语言谈着家常。车在上坡的时候比步行还要慢，许多赶马汉讥笑小火车，喊着："我在山尖尖上等你，等得都睡着了。"火车司机面不改色地直视着前方，睬也不睬他们。乘客随时可以跳下车去方便方便再追上来。有时候停在某一个小站上，汽笛一响，列车将要启动的时候，会有一个乘客向司机叫喊着："莫急！司机先生！我亲家母的一篮子鸡蛋还没送来。"

司机黑着脸呲了一下白牙，又多停了一会儿，时间长了，他会再拉一声汽笛。“来了！来了！”那乘客才双手捧着一篮子鸡蛋跑过来，爬进车厢。年节时候乘客太多，许多人都坐在车厢顶上，从车里到车外，五颜六色，煞是好看。有一回两节车厢脱了轨，居然没有翻。司机叫乘客们下来，硬是把车厢又抬上了铁轨，山民的力气真大，有个彝族老倌很遗憾地说：“我都没使上劲儿。”车厢在山路上摇摇晃晃，就像乘马车似的昏昏欲睡。隧道多，过隧道的时候满车厢都是烟。卖饭的姑娘们都是铁路沿线的村民，她们一只手挽着大饭篮子，一只手抓住敞着的车门就跳上了火车，把一碗碗的白米饭卖给乘客，收了空碗就往车下扔。她们扔碗的技术很高，高速旋转着落进草丛，绝无破损。等饭全部卖完以后，她们才跳下去，徒步沿途拾了空碗高高兴兴地回家去了。我真的不知道为什么，身在最现代化的列车上，心里却升起一阵冲动，想立即再回到滇南的群山中去，坐在缓缓摇晃着的小火车上，越过绿草如茵的小平坝，穿过墨黑的森林，重岩叠嶂扑面而来。染了一身红土的锡矿工人们，像一群群猕猴似的蹲在山头上目迎目送着小火车，湛蓝的黑龙湖在终点等待着你。那古朴的民居，田野，牛羊的叫声……特别是和我一起战斗过、歌唱过、相爱过的年轻朋友们，一张张亲切纯朴的笑脸，又在浓浓的岁月的烟雾中显现出来，一阵阵沉重的伤感压在我的心上，想哭，想痛痛快快地哭一场。我明明知道，1959年，那条铁路的轨距已经扩宽，列车、车厢都换了，车速自然也提高了。铁路沿线的城乡一定也变得更现代了……一想到现代，不由得就联想到另外两个字：冷漠。现代就是冷漠？我所万分怀念的那样小、那样慢的列车能载得动今天的中国吗？情感中的昨天比今天要宝贵得多，可在现实的、物质标准的衡量下，又恰恰相反。难道这是人类发展中的永远的困惑？

界　线

我第一次访问柏林是在1988年的早春，欧洲还很寒冷。每天清晨坐在西柏林汉堡饭店底层的大餐厅里，隔着大玻璃窗欣赏着雪花飞舞的街景，我感觉到柏林像是在期待着什么。到底是什么呢？每一根枯枝都在期待着绿叶，每一扇明窗都在期待着迎风敞开的日子，让新空气贯满每一间紧紧关闭了一个漫长冬日的屋舍。西柏林的居民期待着什么？东柏林的居民期待着什么？当我走向柏林墙的时候我才知道，他们共同期待的是每一条被墙切断的柏林城的血管——街道重新联结起来。柏林墙在西柏林的一边被许多业余画家画满了抽象的彩色图画。一墙之隔，东柏林人想看一眼西柏林都不可能，西柏林人想到东柏林去看一场话剧，必须提前几个月申办。不少东柏林人挖空心思，制造各种奇奇怪怪的器具——包括大风筝，冒死偷越柏林墙。成功者寡，败亡者众，酿成了许多悲剧。因为我是外国人，柏林墙对于我与其说有，不如说无。我可以一会儿在西柏林，一会儿在东柏林。但面对柏林墙，我的思索会钻进历史的纵深。几千年来，人类不断在这个地球上千万次用刀用火切割着、划分着新的界线。从地面上看，这种切割是在土地上，而实际情况是：这些经常变化着的界线同时也切割在人的肉体上、心灵上。可以说，每一条界线都是不折不扣的血线。这一惨烈的现象从氏族部落时代就开始了。每一次血线的涂改都有着庄严神圣的理由，或宗教信仰，或民族利益，或理想，或习俗……普通一员在这些血线面前通常都显得非常之无力。历史上许多人都像蚊子一样撞死在蛛网上，他们怀着不同的目的和愿望去突破那些血线。柏林的被分割，当然是由于二次大战后的盟军分区占领，被占领的前因又是希特勒德国对世界各国的侵害。我第二次访问柏林是在1992年的深秋。东西德国早在三年前已经合二为一了。柏林墙只剩下留 作纪念的一小段。我为此访问过两位前东柏林人。其中一位是年轻的失业工人，他经常去柏林西区溜达。他说："有形的柏林墙已经推倒了，无形的柏林墙并没推倒。我每一次到西区，西区人一眼都能认出我是东区人，妈的！"另一位是中年教师，他至今都没去过西区。我以为他也许精神有点不正常，见到之后才知道他很健全。他告诉我："我在有柏林墙的时候渴望去西柏林，计划利用树杈加上强力弹簧做一个大弹弓，把自己弹过去。没等我做成，柏林墙就推倒了，每一条街都畅通无阻，我反而不着急了，反正随时都可以过去，现在还没空。""就这么简单？""可不，就这么简单。"

月　光

1799年春正月，清高宗弘历驾崩，嘉庆皇帝迫不及待就将太上皇的宠臣和珅逮捕下狱，旋即赐死。从和珅府中搜出的不义之财超过当时国库存储的好几倍，他可算得上清代权钱兼备的最大的贪官。

去年我曾参加电视连续剧《宰相刘罗锅》的剧作，写的是最后四集。结局写的是告老的刘墉到天牢中去探监，看望自己一生的政敌，并目睹和珅这个贪生怕死者的自尽。作为剧作者，我对两种人生价值观进行了一番认真的审视：一个是毕其生贪得无厌地攫取他人的财物，到了只知藏匿、不知财物有何用的地步；一个是毕其生追求公正廉明、淡泊律己、嫉恶如仇。当和珅知道他最后连自己那具众人唾指的尸体也带不走的时候，已经晚了。当然，历史上大多数贪官并未得到报应。但他们生得欢乐、死得宁静吗？我想未必。人，需要从这个世界上得到的物质部分并不多，需要从这个世界上得到的精神部分却是无限的。后者的获得，不需要巧取豪夺，大自然和人类已有的智慧足够我们取之不尽，用之不竭。而多数人重视、永无餍足地去追求的是有限的前者，无视并舍弃的却是无限的后者。

在此，我想讲一个故事：从前有一个贼人，发现结庐独居的一位禅师既不下山涉市，又不接待宾朋，竟以为和尚庐中必有大量财宝，为守财而足不出户。一日，和尚下了山，贼人大为惊喜，急急上山，见僧庐门户洞开，入内，四壁空空，只有几卷佛经、一张草席、半截毡毯。贼心不死，掘地三尺，土下唯有巨石，反而赔了一身大汗。正当贼人出庐下山时，和尚归来，与贼人撞了个满怀。贼人喃喃地说："师父，弟子是来行窃的，不想师父清贫若此，无一珍藏，只好掘地，地下非土即石。敢问师父，何处是师父藏宝处呢？"和尚不仅不怒，反而莞尔一笑："凡珍宝之用有二：或为炫耀而示人，或因得意而自赏，何须埋藏?!"贼人再问："难道师父之宝物在地面上？""是的，老僧拥有之珍宝无以货币论价，且尽在地面之上，茅庐之外。"贼人立即拜倒在地，苦苦哀求："望师父以慈悲为本，指个明路，使弟子寻得几件……否则，弟子必死无疑，救人一命，胜似修造七级浮图……"

贼人连连叩头似鸡啄米。和尚双手平伸如鹰展翅："难道施主目眚么？""非也，弟子耳聪目明。""既然如此，为何视而不见呢？""请师父明白示下。""老僧 指的是你我足下这一片月光呀！""一片月光？""是的！你有，我有，人人皆有一片月光。月光无价而又无偿、无限，世上珍宝有贵如月光者乎？"贼人如牛听琴，茫然不知禅师所云。

知禅师之所云者，苍茫大地之上又能有几人呢?!

悲情之旅

1975年深秋——残冬之间，我受命陪同中国历史博物馆一个考察小组，访问洪湖湘鄂西老苏区。那是一个非常险恶的秋天，“四人帮”在全国掀起一场铺天盖地的“批邓反击右倾翻案风”运动，使广大群众又陷入了深深的绝望之中。我当时虽然已经解除了监管，仍然没有工作，没有外出的自由，之所以能有一个如此让人神往的美差，是因为我早年在贺龙元帅身边工作过，考察小组指名要我和他们同行，有关领导也没理由拒绝。另外，也许是谁也不知道这个考察小组来自哪条线，怕万一有什么来头，会得到个抗命的罪名。

实际上，这个考察小组没有任何来头。考察小组中有贺龙的长女贺捷生，她想把贺龙问题初步平反的消息尽快带到洪湖湘鄂西去。因为贺龙的问题株连了成千上万的人，许多人为此已经死去，死去的和活着的人都还背着沉重的十字架。他们一生出生入死的结论竟是：大土匪麾下的小喽罗。真让人百思难解。

我们乘车访问了20几个县，沿途收集文物，瞻仰往日的革命遗址。每到一处，群众都要召开大会，要求捷生和他们见面，要她讲讲“贺龙到底为什么会含冤惨死”。“他是一个铁汉子啊！正因为他在洪湖湘鄂西多次弹尽粮绝挺立不倒，洪湖湘鄂西的红旗才不倒的呀！他怎么会倒了呢？贺胡子竟会倒在一个臭娘们儿的脚下？周恩来呢？他是贺龙的入党介绍人呀！”我们告诉他们的只能是：周恩来总理的病已经很重了！6月9日他在贺龙骨灰安放仪式上曾经非常伤感地说：“我没保护好贺龙同志……”“我为时不久了！”那两个月，我们在洪湖湘鄂西沿着一条感天动地的泪河在艰难行进。1次、2次、3次、10次、20次、30次……亲眼目睹万人同声伏地嚎啕的景象，并和他们一起哭泣，那是我一生之中流泪最多的两个月。

我曾经想过：一个人在历史中的地位为什么会如此重要！他竟成了一种象征，一个活在千千万万人身边的神话！在一个付出了巨大牺牲的历史变革里，贺龙不仅用他的名字，而且用他自己的行动，烛照了一方土地。我们祭扫了贺龙所有亲属的坟茔，他的三位姐妹贺英、贺戊姐、贺幺姑都在第二次国内战争中被敌人杀害。她们死得都很惨。贺英死于枪击。贺戊姐被枭首，尸身抬到家，她的女儿一针一针把娘的头颅缝在项上，缝一针昏死一次。贺幺姑死于城外小河边，敌人使用的是中古时代最残酷的极刑——凌迟。正因为贺龙全家甚至比群众付出的代价还要高昂，群众才会百折不挠地坚信并和他一起完成这个伟大的变革。我有幸聆听贺龙元帅向我讲述过他自己和洪湖湘鄂西的斗争。但如果我没有那一次从秋到冬的悲情之旅，那如火如荼的年代，只是我笔记本上冷静的文字。

那次访问以后，差不多又过了10年，湘西突然成为旅游热点，有了一个美丽奇绝的张家界。那些风景区我应该都走到过，但我却毫无印象。我想，那时我所注视和思考的是历史的纵深和人们心灵的纵深，竟忽略了大好风景。但是，如果有人问我：你遗憾吗？我会回答说：不！只要没有人为的破坏，风景将会与世长存。而1975年秋冬之交那个特定的历史时期，洪湖湘鄂西那块特定的土地，那些跨越时代，并成为历史见证的众多的泪眼，则永远不可能再现了！

“我爱你们!”

第16届“美国小姐”的桂冠，由21岁的失聪舞蹈演员怀特·史东夺得。她在得知是她——一个听不见声音的女孩，而不是众多的佳丽中任何一个健全的美女获得这一荣誉的时候，她哭了。她随即用哑语在领奖台上向大家说的那句话是:I love you!当我从电视屏幕上看到这情景时，我像当时在场的人们一样，激动得泪水夺眶而出。

1988年我在美国的一次答记者问中，曾经说过：我喜欢并尊重美国的选美活动。我认为，他们不是单单以脸蛋儿和躯体的美为标准，还有才智、知识和思想的完美。今年第16届“美国小姐”的评选更证实了我的看法，评委们当着全美的观众公正地确认一位残疾姑娘为优胜者。是的，一个聋女孩不能算是完美的女孩。但首先她的超人智慧和勇敢，弥补了生理上的不足，且大大超越了她的竞争者。试想，她能够排除客观的偏见和通常残疾人的自卑，报名参赛，一次又一次在众多善意而苛刻的目光注视下，英勇顽强，从容不迫地展示自己外部和内在的美质，力挫群芳，一举夺冠。选美的全过程，时间并不长。但可以想见，对于怀特·史东小姐来说，并不亚于经历一个漫长的、久攻不克的战役。她虽然在竭力追求胜利，而当胜利果真到来的时候，她依然是非常非常地意外！这个世界对于她来说是长时间的“寂静”和“冷峻”，突然她“听”见了最热情和最热烈的声音，世界也显得倍感可亲可爱起来。这时，她才由衷地用手指高声“喊”出：I love you！

怀特·史东小姐的参赛和夺冠，给了我们很多启示：人类最难沟通的是人际关系，特别是对于不善于或不可能表达爱的人来说，他们的爱心常常被误解，聪明才智常常被埋没。我们的勇敢应该表现在展示自己的爱心和才智，从而争取得到应该得到的理解和爱。同时，我们也应尽可能地用爱心去理解人，包括那些被认为很难理解的人在内，才有可能消除隔膜和因隔膜造成的距离、乃至冲突。就全人类来说，身心毫无缺陷的人是没有的，但并不妨碍任何一个人成为完美的人。我相信人们不会误解我的意思，我所说的完美的人并不仅仅指的是用选美的尺度评定出来的美丽姑娘，我是在泛指一切人。最严厉的选美尺度莫过于历史老人的尺度了，历史老人的标准也是最高标准，他有权评定一切人。而且不管你愿不愿参赛，你都得接受他苛刻的评审。年年、月月、日日他都在默默地选美，我们应该从容、坦然，像怀特·史东小姐那样去参赛，即使是听不见任何声音……

怀特·史东小姐美丽的笑容和手语，给予我们的应该是自信和勇敢。

我虽然最终都无法知道历史老人对我的评语，我还是用另一种优美的“哑语”——汉文高声喊出：我爱你们！

旧梦重温

上海的和平饭店，在历史上曾经是名闻遐迩的华懋饭店。三四十年代，来自全世界的名流贵胄，在上海下榻的首选就是华懋。家喻户晓的明星卓别林、赫赫威名的元帅蒙哥马利、万人倾倒的歌王夏利亚宾都曾经是华懋的贵客。俱往矣！今天的和平已远非昨日的华懋了！许多年迈的怀旧者来到上海，唯一可以藉以引起温馨回忆的，就是那个老年爵士乐队。其中大部分队员，是屡经劫难而幸存下来的老乐手。他们在无意之中把昔日的上海风情连同那些爵士乐的旋律、节奏，牢牢地存留在忧伤的记忆里了。他们在80年代末才被人从各个角落里找出来，集中在一起。音乐像爱情一样，是不能忘记的！他们又在和平饭店酒吧里开始了往日的生涯。于是，又吸引了一批又一批旅游者。虽然凡是旧地重游者，无一不光顾和平饭店的爵士乐酒吧，但由于岁月的严酷，旧地重游者已经为数不多了！而妙就妙在永远都会有一代又一代年轻的怀旧者，他们今天怀的旧，是父辈甚至是祖辈的旧；对于他们自己来说，却是新，却是奇。年轻人也能从那些皱纹满面的乐手的演奏里，感受到往日十里洋场的繁华和一去不复返的黯然。我不仅看到过一些老年游客闻声饮泣，也看到过一些年轻人毫不羞惭地泪如泉涌。其实这已经远不是当年的气氛了！酒吧里的听众太多，有时竟是拥挤不堪，不得不在人缝里加凳子。人们只不过就像是在发黄的书页里，找到一片干枯了几十年的枫叶而见物生情一样。最近，我发现上海电影文艺沙龙每周六的下午茶，老年爵士乐队有一个小组定期在这儿演奏、演唱。我觉得这里更接近往日的情怀，客人和乐队不必挤得那么近。没有喧哗，只有如泣如诉的钢琴、单簧管、萨克管。特别是那位年过古稀的歌手，用鼻音很重的沙声，唱着50年代以前的英文歌曲，那是一些埋藏在记忆深处的老式情歌。如《SPANISH EYES》(西班牙之眼)、《TELL LAURA I LOVE HER》(告诉萝拉我爱她)、《LOVE IS MANY SPLENDORED THING》(爱情辉煌) 等等。在他们的演奏声中，客人还可以跳舞。我看见一对年迈的老人频频起舞，他穿着从箱底里翻出来的、保存得很好的旧式西装；她的衣襟上戴着一朵已经褪了色的绒花，瘦而窄的裤脚管，半高跟皮鞋。他们的步子是那样的娴熟轻快，而且旁若无人。我完全可以透过他们今天的舞姿，看到他们年轻时的倩影。他们是一对患难与共的老夫老妻？或是一对早年未能如愿以偿、晚年得以相聚的情人？只能猜测。还有一对老太太，每一支曲子必跳，每一次都是她俩在一起跳。跳得非常默契，而且脸上的表情很丰富。时时会出现妙龄少女的娇媚，十分忘情，十分投入。她们是早年的同窗？还是后来结识的闺中密友？也只能猜测。

旧梦重温，旧梦重温是非常美丽、非常美丽的！

花城今日无花

——谒萧红墓

我曾经多次到黑龙江呼兰县访问萧红的故居，却始终没机会去拜谒萧红墓。虽然我经常去广州，只是每次都匆匆来去，总也难得找到一位知道去萧红墓的道路而又能有时间陪我去的朋友。在香港我也曾央求友人带我去过浅水湾，为了寻找曾经掩埋过萧红的地方。众所周知，今天的浅水湾早非往日了。高楼林立，面目全非，而且谁也不知道萧红为何许人。我们如果要求浅水湾的人都知道萧红这个名字，当然是极不恰当的苛求。他们比较熟悉的人物可能是华盛顿、林肯、伊莉莎白……因为他们的头像都印在美金和港币上。萧红往日的墓地可能只是匆匆于战乱中在荒山坡上堆起的一抔黄土，现在也许正压在某一座大厦的基础之下。幸而萧红的骨灰在 1957 年从香港迁回广州，使敬慕萧红的人们有个凭吊和慰藉哀思的去处。9 月 30 日下午 4 点半，《南方周末》的徐列来看我，我又提到拜谒萧红墓的愿望。他一口答应陪我去。我告诉他："听说在银河公墓，银河公墓又在广汕公路的瓶颈上，车很拥挤。"他说："不是太远，车也未必很拥挤。"于是我们立即决定：走！我曾想到过应该给她带一束鲜花，这在花园酒店是很容易办到的。但我害怕再晚了，公墓不许进，就急忙上车走了。我想：在花城哪儿买不到一束鲜花呢？让人感到沮丧的是：一路看不见一个花店。驶进公墓，已是斜阳一缕映树梢的时候了。在公墓办公室一问，他们之中有一位立即讲出了萧红墓在几排几号。但也有人说："她是一个画家，从照片上看，很年轻，很漂亮。"我很感安慰，他们还都知道萧红，而且画家和作家的职业距离还不算远。一位年轻人愿意陪我们去，我问他："公墓供不供应鲜花？"他说："没有。"同时指着办公室门前一丛黄色的美人蕉对我说："你可以采嘛！"我看了看，没有采。我想：萧红一定不乐意我这样做，而且她不会喜欢黄色的美人蕉。所以我只好空着一双手，心里非常歉疚。我们很快就找到了萧红墓，在山坡上、龙眼树下，面向西，看不见她的故乡。但也许这正符合她的愿望，虽然在她的作品中故乡的人和事所占比重很大，而在生前，她的脸总是背着自己铁蹄下的故乡，心灵和脚步一直是渐行渐远的。除了她笔下的呼兰河、爷爷和比她自己还要早夭的小团圆媳妇、王大姑娘、冯歪嘴子……以外，全是她所厌恶的。我仔细看了看小小方尖碑上的烧瓷画像，那是一位画家1957年绘制的，神形和她俱不相似。我想：好心的画家可能是为了画得更美些，以至忽略了她的个性。仔细看，发现她的画像有两小块缺损，是硬伤！今天还有人憎恨这位因反对传统恶习而命运多乖、早夭的天才么？这一排坟墓都是一模一样的，唯有她的小而矮的墓栏是破损的。我问那位年轻人："不能修修吗？"他说："能呀！只要她的亲属拿钱就可以修呀！"我喃喃地说："她……的亲人……”我忽然想起，去年夏天，她的故乡斥巨资、动员全县的人力财力举办了一次盛大的国际萧红节。为什么就不能花一点点钱把萧红墓修整一下呢？今天的人们太现实了！举行国际萧红节的口号（目的）是：“文化搭台，经济唱戏。”萧红如若泉下有知，当然不会反对至今仍不富裕的故乡为了招商使用她的名字。令人啼笑皆非的是：她从看野台子戏的时代就是一位非常尖锐而挑剔的观众，今天她的名字竟成了戏台子上的匾额。

在夕阳西下的暗淡中告别了寂寞的萧红，我的心境黯然如高渺的天宇。而熙攘尘寰已是万家灯火、一片辉煌了！

花城今日无花……

老观众捧小演员

许久没看过京戏了，今儿蒙上海戏校赐票，看了一场日场戏，而且是娃娃班。不胜感慨之至！想起三年前的某一天，关肃霜敲开了我的门，由于太突然，一时没把她认出来，挨了她一拳。她对我说，她从云南赶到上海是和来自台湾的师娘会面的。提起她的师娘，我当然知道。她就是那位40年代曾经风靡过大江南北的花旦戴绮霞。肃霜说：“年过古稀的师娘精神很好，还打算和我在上海同台演一场戏哩！”我一直等着这场演出，结果等到的却是肃霜猝然去世的讣闻。应该说，我看娃娃演京戏是从看肃霜开始的。那还是抗日战争末期，在一个日军占领的小城里，那时她跟师娘的姓，叫戴肃霜，还是个学徒。小小年纪，在台下练功时，是一个黑瘦的小丫头。一上台，扎上靠，蹬上靴，嗬！俨然一员大将。她常贴的剧目是《罗成叫关》、《辕门射戟》、《柴桑口》这些唱做都非常吃重的小生戏。真是光彩夺目，才华过人。我当时比她还小一些，经常是买张站票，靠墙“贴烧饼”，看得失魂落魄。有一回看得太投入，口袋里的钱被小偷给摸走了，那是好不容易才筹齐的下一学期的学费（后来进军云南，又常看她的戏，和她成为至交）。从那时起，我既爱看名角儿的戏，也爱看娃娃班的戏。50年代初，在北京工作，真是大饱眼福。当时梅、程、荀、尚都还经常演出，马、谭、裘和周信芳、盖叫天、杨宝森……也还是黄金时代。李少春、叶盛兰、厉慧良、张云溪、言慧珠……正当盛年。我不仅是他们的观众，还和许多我喜爱的前辈常有过从。如程砚秋先生，就和我是忘年之交。但我在欣赏这些大师的同时，仍然喜爱看娃娃班的实习演出。50年代初，看的是刘秀荣、谢锐青、刘长瑜……50年代后期在上海看的是昆剧班的华文漪、蔡正仁，岳美缇……再以后就是孙毓敏这一代了。他们大多已经人过中年。今天，看的又是孩子们的演出，他们最大的也不过十几岁。环顾满场的观众。我发现70%是60往上的老人，其中不少都超过了80。观众是爷爷辈，演员是孙子辈、甚至是重孙辈。使我大为惊奇的是，这些老观众对每一个小演员都十分熟悉。今儿的戏是《龙凤呈祥》，讲的是《三国演义》里孙、刘联姻的故事。戏里生、旦、净、末、丑俱全，好像是为了尽可能向观众展示各个行当的成绩。几乎所有的主要演员一出场就能得到个碰头彩，像扮乔玄的王旭东小朋友，硬是一句一好，掌声不断。一方面是爷爷、奶奶们太热情，另一方面是孩子们确实学有所成，几乎个个都值得称道。我听到不少观众十分惋惜地说：可惜鲁肃只有几句唱儿！我一问才知道，扮鲁肃的老生是个女孩，叫王佩瑜，学的是余派。鲁肃出场，全剧已将近尾声了。几句唱儿果有韵味，使得剧场里掀起一阵小小的高潮。从今天的剧场效果来看，似乎京剧真的是大有希望。但今天也可以看出：问题并不是演员后继无人，而是观众后继无人。老观众已经很老很老了！无疑，京剧是世界戏剧史上的奇迹之一，是一代一代京剧大师勤奋、智慧的结晶。在几千年辉煌文化的基础上，成就了一种非常独特而精美的艺术形式，载歌载舞，五彩纷呈。说来，让人感叹莫名。一个成熟的京剧演员没有十几个严寒酷暑的刻苦训练，是绝对不能成器的。而一个没有嗓音的歌星，往往跟着MTV哼3个月，就可以进夜总会挣钱了！当然，世界上的事，并不都是公平的，公平只能是人们的愿望。试想这些只能白天在儿孙的搀扶下出门听戏的老观众，无论有多么大的热情和赏识，能够使京剧振兴起来吗？显然是不可能的。他们既没有位子，又没有票子，只有一双拼命鼓掌的手。因而有人就有了“培养观众”的想法。培养观众，谈何容易！今天是个特别趋时、而缺乏深沉思索的年代，因而使得许多年轻人文化观念、审美情趣和他们的前辈迥然不同。无论多么美好、纯净的泉水，牛不喝水是不能强按头的。寄希望于那些一掷万金的富人施舍，也不是长远之计。最后当然会想到国家和全社会，也许这才是最可靠的依托。全世界各民族，都会遇到如何对待自己民族优秀文化遗产的问题，几乎所有发达国家，都由国家和全社会来加以强有力的荫护。这既需要一个共同的认识，又需要一些妥善的措施。

在散场谢幕的时候，我面对台上那些卸了装和没卸装的孩子们，心里由衷地升起了一种非常复杂的感情。我真的敬佩他们，虽然他们还不能理解我为什么要敬佩他们，我真的珍爱他们，因为今天已经可以看到了他们的才华、好学和灵敏的艺术感觉。我又真的为他们担心：逆水行舟，他们个个都能一直在这条湍流中奋力向上吗?！而且艺无止境。

哭之笑之

第一次去南昌，是1949年5月。那是战火纷飞的年代，旅程是随着炮火向前伸展的。我当然知道“南昌故郡，洪都新府”是个“人杰地灵”的所在，无奈戎马倥偬，既不能寻找滕王阁遗址，又不能拜谒八大山人墓地。未想，一别45年才得以旧地重游。八大山人朱耷是我非常景仰的一代宗师，因明亡愤而出家。他的画风泼辣，夸张凝练。他自称“墨点无多泪点多”，画中寄寓了国破家亡之痛。可见即使像中国画这种比较超脱的艺术，没有画家的深刻思索，画面上哪里会有千古浩然的气韵！这一次来到南昌，绝不能失之交臂，一下飞机就直奔八大山人纪念馆，匆匆赶到，已近黄昏，只能再找机会。次日下午，我和赵丽宏在江西日报的小朋友黄颖的陪同下，赶到八大山人纪念馆，离闭馆的时间只有10分钟了。我们还是决定买票参观，希望纪念馆里的工作人员能念及我们是远方来客，给予照顾，让我们多看几分钟。谁知道，我们刚刚跨进大门，就听见关门的声音了。一个年轻人正在迅速关闭每一间展览室。我们请求他让我们看一眼再关门，但他不予宽容。赵丽宏是一位谦谦君子，特别温和。只是好话说尽，换来的却是厉声斥责！“赶快出去！不出去我就要放狗了！”果然，接着就是几条恶犬的狺狺狂吠。我们只好仓皇退出，问他：“我们能在门外墓地里停留吗？”他的回答是：“一刻钟！”我们只好走进林中墓地，在朱耷大师的墓前一拜。是时，当我们只能在夕照中徜徉徘徊的时候，颇感怅惘。自觉很像乞丐，乞丐是乞食，我们是乞观，这一点乞食的乞丐又是绝对无法理解的。由此，我很自然想到1988年4月21日在德国参观席勒档案馆的情形。那天上午在曼海姆参观国家剧院，看了他们的歌剧、话剧、芭蕾舞剧的排练和儿童剧院莫扎特《魔笛》的演出。傍晚，才赶到马坝。以席勒命名的作家档案馆深藏在马坝的一座森林里。管理人员不是硕士，就是博士，很像苦行的修士，面对青灯黄卷，潜心钻研。我知道早已过了闭馆的时间，他们还是按部就班地给我介绍他们的馆藏珍品，而且让我尽量提要求。我提出想看看我的朋友埃温·魏克特和君特·格拉斯的手稿，他们立即找出来给我看，极为小心地代我翻页，并作说明。我对他们说：“时间已经很晚了！”他们的回答是：“不！重要的是参观者满意不满意，而不是时间。”

对比之下，不胜感慨之至。我以为问题并不在于八大山人纪念馆那位年轻人的态度粗暴，而在于有关领导，为什么要给他分配一个他既不能理解其价值，又不热爱的工作呢？

300多年来，人们都认为八大山人的连笔签名实为“哭之笑之”四个字，在南昌八大山人纪念馆碰壁以后，我就更觉得像了。

在巴黎看《情人》

法国老作家玛格丽特·杜拉斯的一部中篇小说《情人》，在中国很走红，至少有8个译本。我在去巴黎之前就想着要看看电影《情人》。到了巴黎才知道电影《情人》导演让·雅克·阿诺要宴请我，地点是我住的“修道院”旅馆的旁边“勒·玛罗特”餐馆。那天我和翻译匆匆赶到的时候，阿诺和他和朋友们（两位作家和他们的夫人）正在等待我。这是一次偏离主题的会见，一方面是我没看过影片《情人》，只看过他十几年前拍摄的《火之战》；另一方面，电影剧作家布拉克太健谈了，几乎是他一个人在讲话，滔滔不绝地叙述他和各国电影导演合作的趣事，其中包括波兰斯基。阿诺却很少说话。只在我提到我和梁家辉是忘年交的时候，他才说了几句为梁家辉担心的话。他听说《情人》在香港放映之后，黑社会威胁他，要他去拍一系列的三级片。但阿诺还是最吸引我，满头蓬松的灰色头发，看样子还只有40岁，精力充沛，身材颀长、匀称，穿着一件牛仔背心，他有时偏着头思索着什么，但他的目光并没因为思索而有所衰减。告别时，阿诺向我提出再一次会见的要求，我欣然同意了。

整整一个月，12月10日下午，我和阿诺在蒙马特高地圣心大教堂的后侧一家餐馆又见面了，这次见面只有他自己。这时我已经看过了电影《情人》，全巴黎只剩下一家影院在每星期二的晚上才放一场，这家电影院位于巴黎的西南角，八号地铁的终点。12月的第一个星期二我冒雨前往，像我这样的补课观众很多，几乎是满座。阿诺问我的观感，我告诉他："玛格丽特·杜拉斯不赞成您这部影片是可以理解的，因为《情人》是她非常个人的经验，又渗入她晚年回忆中的幻觉，任何人都不可能体现得如她所想。但这部影片很成功，在重现殖民时代的越南风情和人物精神状态方面，在对少男少女热烈的爱情描写方面都很真实，很美。男女主人公的爱巢和一条乱糟糟的中国街一板之隔，所以也很别致。故事如此简单且具有如此强烈的魅力。"阿诺承认他在大背景上所付予的人力、财力是巨大的，选择演员非常慎重，可以说是万里挑一。接着他详细谈了他们在越南拍外景时的艰辛，而且时常遭到当地人的讹诈。开机前讲好的价钱，一开机就又变了，翻脸不认帐，又提出一个能使亿万富翁都得破产的数字来。他问我：在中国会不会遇到这样的讹诈？我不大有把握地回答说：大概不至于吧！他很想到中国来拍一部影片，目前美国20世纪福克斯公司约他拍一部关于太平天国时期太平军中的洋兄弟的影片。但他觉得他还没找到切实的感觉，也没有非常强烈的冲动。他认为拍中国人的故事是中国导演的事情，他似乎可以拍西方人在中国的故事。我试着给他谈了几个方案，同时答应继续为他考虑，随时给他提供信息。他很高兴。看来他喜欢拍摄富有异国情调的影片，使我联想到英国作家毛姆。

看来，一部影片成功与否的第一步恐怕是：导演要为观众和自己选一个新颖而具有强烈张力的题材。在我们分手的时候，一位中年妇女走向阿诺说：《情人》现在为什么再没有人议论了呢？算是完了吗？阿诺说："电影不就是这样么，等着吧！还会有更有趣的影片……"

圣诞前夕，我途经香港，在和几个朋友驱车去浅水湾的途中，通过手提电话找到了梁家辉，他也正在汽车上，赶着回家吃饭，饭后还得赶到制片厂通宵拍戏。但他听说我在香港，还是要赶来看我。我们在冬季显得特别冷清的海滨餐厅吃完龙虾他才赶来。5年不见，似乎成熟多了，他不想吃什么，只想在有限的时间里谈谈话。我向他谈到在巴黎和阿诺两次会见的情形。他微笑着回忆说："开始和他们很难沟通，语言隔膜，特别是和那个小女孩……虽然观众很喜欢，我觉得我自己的表演还应当更好些……那次合作还是值得怀念的……"当我问到他的现状，他说："目前我同时拍5部影片，很累……我的家就在浅水湾，却没机会在这家海滨餐厅喝一杯酒，甚至都没来过，所以找了好一会儿。"

"紧张的工作不也是一种享受吗！"

他认可地点点头。我想了想说："《情人》的成功，除了艺术创作的精湛之外，好像和当今人类对矛盾重重的国际与人际关系的深恶痛绝所产生的逆反心理有关，人们渴望人性的美，怀念失落了的纯朴的爱，尽管那是不现实的罗曼蒂克的往事加幻想……

朋友们默默地呷着酒，此时，只有涛声……

登滕王阁

已是深秋季节，由于久晴不雨，艳阳娇如初夏。在南昌，有幸在当地一位小朋友的向导之下，兴致勃勃地登上了名满天下的滕王阁。当然，这是1989年新建的滕王阁，而非公元653年滕王李元婴创建的那座滕王阁。我以往很不喜欢整旧如新的古迹，后来，阅事、读史渐多，才明白了一个早就应该明白的道理，那就是：地面上的古迹绝大部分都难于幸免于天灾人祸，特别是人祸。几乎90%的古迹都是重建的，只不过时间有早有晚罢了。

今天的滕王阁并非在旧址上的复原，因为历代的滕王阁都不相同。它所面向的赣江河道与1300年前也有了很大的变化。想在今天的滕王阁上去领略初唐文学家王勃眼中的景色，已经完全不可能了。真可谓：景色与人物全非！虽然如此，我在登上滕王阁的时候，依然激动不已。因为我看到了中国传统文学不朽的生命力。有多少楼台亭阁、风物盛境，不是以诗文而名闻天下呢？登黄鹤楼，你很自然就会想到“故人西辞黄鹤楼，烟花三月下扬州。孤帆远影碧空尽，唯见长江天际流”的诗情画境。登岳阳楼，你除了在视觉中幻化出“长天一空，皓月千里”的境界以外，你还会为“先天下之忧而忧，后天下之乐而乐”的崇高理想把栏杆拍遍。每年除夕，不仅中国人到姑苏寒山寺去撞钟、听钟。许多日本人不是也渡海赶到苏州来寻找“夜半钟声到客船”的情境么？绍兴兰亭已经成为全球书法爱好者朝拜的圣地了，谁不想体验一下晋代文人墨客“流觞曲水”的雅兴呢？

试想，如果没有《滕王阁序》还会有今天的滕王阁吗？历史上屡毁屡建，已经有过28座滕王阁了。今天的滕王阁是第29座。每一座滕王阁几乎无一不是毁于战乱，战乱都是那些显赫的历史人物为了篡权夺位所发动的，是历史上最具有破坏性的暴力。在冷兵器时代，兵将献敌人的首级以请功赏，所以每一场战争的结果都是一座骷髅的高山。在攻城掠地时，最简便的办法就是一把大火。但任何一次战争的发动者都无法杀掉或烧掉《滕王阁序》、《唐诗》、《岳阳楼记》、《兰亭序》……这就使得历代书生每每登楼望远，在为历史的兴废临风感慨之余，也深感慰藉。因而杜甫有“文章千古事”的诗句。千古不朽的文章是毁不掉的，历史上多少叱咤风云的霸主，都想毁掉柔弱书生写在竹简或纸上的文章，谁能办到呢？因为不朽的文章都包含着一种不朽的美、不朽的智慧或不朽的精神。既不能被摧毁，又不能用任何有价的珍宝去衡量它们的价值。因为它们已经成为全民族、全人类共同的财富了。

天才的悲哀

我在童年时期就熟悉徐文长了，那是从一些上海坊间出版的石印小册子上读到的徐文长，一个机灵、滑稽而又可怜的市井文人。不管是阴晴雨雪，不管在什么场合，只要他一出现，就会笑话百出。他的一言一行，一举一动都使人忍俊不禁。一直到60年代初，我被贬在绍兴种水稻，第一次拜访徐文长故居“青藤书屋”，才开始搜寻并阅读他的作品。使我大吃一惊的是：历史上的徐文长和我儿时从小册子上看到的徐文长原来不是一个人！可见那些肆意改编历史人物的通俗读物，实在是误人太深！如今，有了电影电视，这类大胆的改编家更加地多了，而且个个振振有词，气壮如牛。真实的徐文长，原来是一位沉重的苦难与坎坷、非凡的坚韧与天才集于一身的艺文大师，诗、书、画、曲四绝。他所生活和创作的时期是嘉靖、隆庆、万历三朝，其中最长的是嘉靖朝，那是明代最黑暗、最荒诞的一个朝代。嘉靖皇帝是一个历史上少有的昏君和暴君。徐文长少年才俊，却9次科举不中。封建社会的知识分子学而优不仕是可怕的，之后，别无选择，只能零星出卖自己的才智。于是，我才知道“绍兴师爷”是古亦有之的“专业”。徐文长生性狂放，喜交游，而且大半生都对科举入仕存在幻想。尽管当时东南抗倭主帅胡宗宪十分欣赏他的文采，以及他在军事方面的兴趣和才识，他却迟迟不愿入幕。问题在于：从1555年奸相严嵩就派他的死党赵文华到浙江督察军务，这就决定了胡宗宪必须考虑是否要依附严党？当时的严嵩炙手可热，一人之下，万人之上，何等的气焰！胡宗宪的前任浙江巡抚李天宠抗倭有功，却因与赵文华不和而下诏狱论死。前车之鉴使胡宗宪认识到，在前线不握兵柄、不做统帅就一事无成。不买赵文华的账，不仅得不到兵柄，还有杀头的危险。于是，这个“多权术，喜功名”贪财敛富的胡宗宪义无返顾地倒向了严党。果然，不到一年就被提升为兵部侍郎、总督，兼制东南四省。直至1557年底，36岁的徐文长在诸多好友的劝告下，权衡再三，才勉强进了胡宗宪的大帐，充当了胡宗宪的贴身师爷。使得徐文长一开始就怀着深深 的隐忧和尴尬，疾恶如仇的徐文长从来都痛恨祸国殃民的严嵩一党，奈何？无可奈何！人无远虑必有近忧，只过了7年，1562年5月，严嵩一党就像冰山一样崩塌了。朝廷下诏逮捕胡宗宪，解京治罪。朝野欢庆，举国痛饮。我们这一代人完全可以想象出400多年前严世藩下狱的情景，大约和1976年江青“四人帮”的下狱有些相似。此时，洁身自好的徐文长却喜不出来，他恍然意识到自己从入胡宗宪幕那天起，就已堕入污秽的陷阱之中了。徐文长忧心忡忡，以至脑病发作、惊恐癫狂，多次自杀未遂。甚至“走拔壁柱钉可三寸许，贯左耳窍中，颠于地，撞钉没耳窍，而不知痛。”（《海上生华氏序》）他在《自为墓志铭》里说：“人谓渭文士，且操洁，可无死。不知古文士以入幕操洁而死者众矣……”道出一个不得不贱价出卖自己的雇佣文人——入达官贵人之幕者的悲哀。不仅他自己感到悲哀，我们不是也为他感到悲哀么！一个旷世奇才，志高操洁，他遗留下来的任何一张书墨迹在今日都堪称国宝。为了衣食，却不得不代胡宗宪草拟向皇帝、乃至向严嵩父子献媚的文字。而且可能由于这些文字而殃及池鱼，实在是一个时代的悲哀！徐文长真的是过虑了，在朝廷眼里他毕竟只是一介寒儒，一个白衣秀才而已，最终并未受到株连。

1566年，徐文长的生活里发生了一件大事，他击杀了继室张氏。后人对此事有很多议论，都说徐文长妒而杀妻，我以为这样的判断可能太简单化了。徐文长在狱中给郁心斋的信中说：“伏望明公曲谅隐衷，力挽公道，勿泥前说，赐挽后评。”可见徐文长杀妻有难言之隐。窃以为：当时的徐文长还没能从政治泥淖中拔出的时候，又陷入市井家室的困扰之中。这个张氏，是胡宗宪在徐渭爱妻潘氏介君死后多年帮他续娶的。由于婚后与张氏一直都不和谐，对前妻更加难以忘怀。貌合神离，同床异梦，终日为柴米油盐、典当赊欠吵闹不休，一点即燃，一燃即爆。癫狂中的徐渭忍无可忍，失手伤人，几乎是顺理成章的事。杀妻一案，徐渭付出了六年苦狱的代价。明代狱中的犯人日夜披长枷、带锁链，行动起坐都非常艰难。我们今天从徐渭的前后破枷赋中就可以体味到个中滋味。“寸尺支，二木一金，昨日何重？今日何轻？在其今日也，栩栩然庄生之为蝴蝶。其在昨日也，遽遽然蝴蝶之为庄生。”（《前破枷赋》）“尔完我死，尔破我生，破完倏忽，生死径庭，可不慎乎？敢告司刑。”(《后破枷赋》)自苦狱中出来，环顾家徒四壁，破败凄凉；所幸还有数千卷书堪为伴侣。贫穷失业，却有了自由。既不向高官兜售自己，又无愚妇人的纠缠。门前无车马，尽是白衣人。越来越多的门生弟子你来我往，川流不息。相与遨游山水、访朋探友，切磋画艺。从万历元年(1573)到万历十年春的九年间，是徐渭自由自在的九年，是快乐的九年，是创作旺盛的九年。徐渭在诗、书、画、曲的创作上，都进入炉火纯青的境界。在对于客观世界的认识上，也更加深刻了，虽然也更加失望。“年来世事不须听，耵垢今聪不如聋。”(《题画》)他真想对这个世界装聋作哑！一生向儒、释、道苦苦索求，都不如借酒浇愁来得痛快。“醒来却苦多烦恼，醒固不恶醉亦好。”(《松台醋》)1593年，“数千卷书斥卖殆尽。帱莞破弊，不能再易，至籍稿寝，年七十三卒。”(陶望龄:《徐渭传》)这个顽强不屈的生命，一生痛饮狂歌，以歌代啸，终于心力衰竭，躺在自己的残稿上与世长辞！真可谓：穷困潦倒，晚境悲凉。纵观人类历史，许多天才大家，不都是生前难以温饱，遗作价值连城么？在徐文长瞑目时，压在他身下的任何一张墨迹，在后世都是一件无价之宝，最让人啼笑皆非的是：那些疯狂摧残今日天才的权贵，为了附庸风雅，也会把昨日天才的诗文高挂在自己的庭堂，或珍藏于密室。不久前负罪死去的康生就是一例。

我曾经无数次重访青藤书屋，每一次在叩环之前，恍然觉得文长先生依然健在，正坐在小小天池岸边，面向壁上青藤捻须沉思。有旧作为证：

一百次负纤镜上行舟，

一百次独自拜门求见。
小小庭院落满绿荫，
只缘一株青藤遮天。
秃笔狂草，顷刻龙飞凤舞，
酒壶泼墨，顿时烟水云山。
而后，先生邀我粉墨冠带，
长歌当哭，演义三千年兴衰、恩怨。
一生坎坷潦倒，身后遗赠无价，
屡屡痛不欲生，终未死于大难。
敢问先生将何以教我？
先生醉，笑而不答。
屋狭暮色偏早，作别；
待回顾，明眸与台门俱已虚掩。

杨慎的悲剧

今年，我在4月26日才有机会到四川新都游览桂园——明代诗人杨升庵（杨慎）祠。好像重谒故人旧居一般，感慨万端。40余年前，我随军驻滇，在滇西穷乡僻壤一个寻常傣族人家里，意外地求得一册明版《升庵文集》的残卷。于是，我骑着马，沿着杨慎在崇山峻岭上留下的脚印，一边吟诵着他的诗歌，一边思索着杨慎悲剧的根源，仰天洒泪，悲愤不已。

1521年，明代的荒唐皇帝朱厚照病死，因为没有子嗣，嘉靖皇帝以“宗藩”继承大统，即位第6天——4月27日就迫不及待地下诏礼部，让大臣们开会讨论他生父的尊号，因而酿成一场历时7年的皇权、宦权和阁权的激烈斗争。用今天的大白话来说，就是嘉靖皇帝当了皇帝还觉得不过瘾，一定要尊自己的生父兴献王为兴献皇帝，从而说明自己不是“继嗣”，而是“继统”。也就是说：朕从根儿上就应该是皇帝！简而言之：“廷议”的目的就是把一件不合“礼”的事变成合“礼”的事。偏偏大臣们不知趣，一再群起逆旨反对。既然有不知趣的大臣，就一定会有“乘云发迹”、非常知趣的大臣。到了1524年7月，嘉靖皇帝就来硬的了，

15 日，锦衣卫对左顺门跪伏请愿的 229 位廷臣实行镇压。杨慎这位状元郎、翰林修撰属于请愿者中最激烈的人物，竟然“撼门大哭”，结果是 134 人下锦衣卫狱，另 86 人听候处罚。17 日“廷杖”杨慎等 160 人。“廷杖”就是把钦犯按在大内的地上打屁股，往死里打。这既是对他们的惩罚，又是对他们的羞辱。嘉靖皇帝悍然冒天下之大不韪，下诏从安陆把自己生父兴献的神位接到京都，安放在观德殿。余怒未息，27 日再次“廷杖”杨慎等 7 人。两次共有 18 人死于杖下。杨慎当时 37 岁，身体还算不错，竟能“毙而复苏”。活着，好，那就让你活受。钦命：“永远充军”云南永昌。16 世纪的滇西对于内地人来说，的的确确是不折不扣的蛮荒瘴疠之地。后来，许多同案犯先后都能得到“赦还归田”，唯有杨慎，在去世前的那年，71 岁的高龄，仍被从泸州“锁械还戍”（就是披枷带锁押回云南的流放地）。悲剧在于：杨慎并不是乱臣贼子，而恰恰是一位为朝廷尽忠尽节达到了无私无畏境界的忠臣，为了维护皇权反倒成为皇帝恨之入骨的“政敌”（皇帝一旦把你当做政敌，也就理所当然地对你无所不用其极了），这一结果杨慎当然始料未及。我忽发奇想：在长期的流放生活中，杨慎有过痛定思痛的反思吗？我从他被放逐以后诗歌里，看不到。杨慎毕竟比屈原“现代”，没有《离骚》，因为他不想自沉滇池。并深知皇上始终都想置他于死地而后快，皇上的暗探时时都在他周围的阴影里目不转睛，这些走狗唯恐他不暴露自己对皇上的怨恨，所以杨慎落笔非常谨慎。才思敏捷的场慎，一旦明白皇帝把他这个迂夫子当作“政敌”来对待的时候，在含冤之余，很可能感到“受宠若惊”。自己有这么重要、有这么大的胆量和力量么？之后，也就幡然省悟而认命了。自知申诉、辩解、发泄、向朝廷乞怜……均属徒劳。可他并未万念俱灰，竟在困厄中活过了古稀之年。从他的诗歌上看，他得益于边地的民情淳厚至诚，山川风物的壮丽雄奇，亲朋好友的尊敬爱戴，甚至有些地方官、乃至总督、巡抚这样的封疆大吏还敢和他唱和，并给予眷顾。从这个意义来说，杨慎的流放地——云南，并非他离京时想象的那么可怕。和血肉横飞的朝廷相比，云南倒是一座原始、天然、和平、常春的天堂。这一切，宫中行乐的嘉靖皇帝当然难以体会，所以也无从剥夺。嘉靖皇帝每每问及："杨慎如何？"回答却使他失望：既没死，又抓不到足以处死的叛逆言行。

作为一个流放到边地的钦犯，远离庙堂，反而远离了纷争和危险，自然会愁苦、困惑，但他的生活基调却是恬淡的，恬淡可以延年。所以他的诗歌更多是寄情交游、题咏山水为主。杨慎曾为自己画过一幅早春夜归图，请看：

> 月似银船劝酒，星如玉弹围棋。几杵林钟敲后，两行灯火归时。（杨慎：《正月六日温泉晚归》）

这首明白如话的诗，写的是云南安宁温泉。安宁温泉在螳螂川上，和曹溪寺隔溪相望，是一个极其美丽宁静的地方。早年，我也曾多次寄身安宁温泉写作。

杨慎终于在1559年在"天气常如二三月，花枝不断四时春"的云南与世长辞，骨骸归葬故乡新都。

嘉靖皇帝直到1566年底才死去。嘉靖皇帝身后，史官记录了骇人听闻的暴行和丑行，如：20余年不上朝，使严嵩擅权17年之久，冤案如山，杀人如麻。海瑞抬棺死谏，反而被下狱。终日在宫中拜神作斋，竟然选 300 名 14 岁女童和 160 名 10 岁以下女童入宫，在她们身上炼丹，肆意摧残，险些被忍无可忍的宫女们勒死。

杨慎身后留下的是 2300 首至今都还在为人传诵的诗歌，尤其是入滇之后的诗作，委婉如歌，清新绮丽，神韵天然。一条长长的风雨坎坷路，包括他一生的苦难，都成为后人永远传诵的一首长歌了！”

“可怜风雨夜，长在客途中！”（杨慎：《风雨》）

一个清醒的仲夏夜之梦

那年早春，我曾在德国的巴登维勒有过短暂停留。顾名思义，那是一个温泉疗养地，因为在古代当地土著语言里，巴登（BADEN）就是温泉的意思。在那里，我想起我最喜爱的一位俄国作家安东·巴甫洛维奇·契诃夫。但我没法找到他1904年逝世时住过的旅馆。今天当地知道他的人竟会那样少。我为此很是愤愤不平。契诃夫的夫人克尼碧尔·契诃娃曾经以为“安东·巴甫洛夫是悄悄地、平静地走向另一个世界的”。我却不这样认为，我觉得，恰恰相反，他为了不让别人为他承受痛苦，直到最后他都隐忍着巨大的痛苦。他去世前3天在写给莫斯科罗索利莫医生的信中说：“最近体温一直很高……我气喘得很厉害，简直是呼天不应，呼地不灵……我的体重减轻了15俄斤……我现在是形销骨立……”他为了减轻由于他的突然死去给夫人的残酷打击，在临终前几个小时，他还编了一个让契诃娃哈哈大笑的故事。说的是在某一个疗养胜地，有许多脑满肠肥的银行家，特别贪吃。某一天，他们在野外玩耍得精疲力竭，满心指望着等待他们的是一顿丰盛的晚餐，不想，这时发现厨师已经逃跑了，晚饭根本没做。那天夜晚，契诃夫平生第一次要求请医生来。可见连这位最能忍受痛苦的强者也无法忍受了！医生来了，他对医生说了一句他不大会说的德国话：ICH STERBE！（我要死了！）而后笑着向契诃娃讨了一杯香槟酒，“泰然自若地喝干了那杯酒，静静地向左侧身躺下，不久之后就永远地沉默了……”这位对于生者体贴入微的濒死的哲人，他给自己的爱妻造成一个奇妙的错觉。她回忆说：“直到新的一天生活开始时发出最早的声音，直到人们到我这里来了，我才意识到悲痛，意识到我失去了安东·巴甫洛维奇这样一个人……”契诃夫是一位最无私的人，因为他超凡脱俗，他从不把自己的痛苦让别人来分担，哪怕是自己的亲人，哪怕是生命最后的一刻！我们通常看到，世上有多少人都在抱怨，以为唯有自己从这个世界上得到的痛苦最多，得到的欢乐最少。尤其是在濒临死亡的时候，恨不能把痛苦转嫁给别人，古代帝王甚至愚蠢地让众多的青春少女为他殉葬。

我相信人们都能从契诃夫的作品里感受到一种淡淡的幽默，特别在他的剧本里，你能感受到那淡淡的幽默中还蕴含着深刻的悲哀——也是淡淡的。他善于在剧本中非常认真小心地营造着一种更接近生活而远离戏剧的、诗意的氛围，使他的观众自然而然地跟着他思索，慢慢地进入含蓄的、契诃夫式的悲哀。我想，他的死是他最后一次、也是最痛苦的一次苦心孤诣才营造出的，一个清醒的仲夏夜之梦。他永远消失在这个梦中……

回　答

最使我难忘的时光是：跃马耸立在6000米以上的雪山顶峰，迎着眩目的阳光和刺骨的寒风，俯瞰着深绿色的峡谷，倾听着一泻千里的湍流的轰鸣。这是绝顶了吗？对于脚下的群山来说，是的！一种英雄式的自豪使我不由得要像高原藏民那样长啸起来：啊嘿嘿！那时的我，甚至认为生活一如那湍流，关山万里，迎刃而开。

那年，八月的晚上，在梅里雪山东麓峭壁上一个小村投宿。藏民的土屋里日夜弥漫着松脂的芬芳和淡淡的青烟，火塘里的火焰 如生命般从不熄灭。主人家有3口人，一位是老妈妈，一位是她的当了喇嘛的儿子，另一位是她16岁的女儿达娃，活泼好动而又美艳如花，嘴里还不停地哼着歌。

我和向导兼翻译甲错刚在火塘边坐下，达娃就邀请我们去跳舞。我早已听见窗外孩子的笑闹和皮靴踢踏大地的声音了。

我知道，这里的舞会是跳通宵的。因为我们明天要赶路，答应她只跳一会儿，她同意了。场子很小，人很多，我担心他们如此沉重而狂放的舞步，会把这块岩石震裂，使得我们全都坠入万丈深渊。但我觉得，除我以外，没有一个人哪怕有一丁点顾虑。他们紧贴着场子的边沿旋飞，变换了三次队形之后，夜空洒下羽毛般的雪花。我忘了此刻身在何处，也就不再怕了。后来还是甲错的提醒，我们和达娃才退出舞场，回到屋里。达娃不停地给我斟酥油茶，我只好不停地喝，甲错不停地抽着烟。老妈妈不停地数着念珠，默诵着佛号。只有那喇嘛悠闲地枕着双手靠着土墙打量着我。甲错告诉我：大寺很近，正好是一个背风的山湾，有一条极罕见的、不积雪的小路，所以他时常回到家里来坐坐。

达娃很快就对我发问了。她向我这个外来的稀客提了许多非常可笑的问题。诸如山外的太阳是不是会在云海中游动？山外的人是否总是快乐的？……我还没有来得及回答她的时候，喇嘛替我回答了。他说："我想，山外的人也有生、老、病、死，免不了也有痛苦……"我那时太年轻，并不觉得他的回答就是我的回答，因为生的痛苦早已经忘记，从未生过病，离老很远，离死更远，所以我只是笑而未答……

次日清晨，我们告别主人。绕过一座雪峰，再回顾昨晚那座村庄时，它就像被峭岩高举在一抹白雪之上的一个鸟巢。但仍能看见一点猩红，那是达娃，她穿的是一件红氆氇袍子。她在唱，她的歌声却显得很近、很清晰："在你的笑容上印着一个明明白白的回答：山外有一个无限美好的世界……你怕我踩着你的脚印，变成你的影子，你却什么也没说出来……"

这是一个误会吗？是，也不是。

重重雪山叠印着重重岁月，那一切已是非常非常遥远了！如果我还能再一次造访那个鸟巢似的村庄，如果达娃仍然只有16岁，如果她再要提出同样的问题（我眼前至今都闪烁着那双明亮、调皮而又充满希望和幻想的眼睛），我会毫不含混 地赞同那位喇嘛的回答（显然那也是佛祖的回答）。而且补充说："不管在山里还是在山外，除了生、老、病、死，还会有许许多多始料不及的痛苦。但是，正因为人能忍受各种痛苦，人才比神更伟大。"

贪吃成厨

俗话说：久病成医，的确很有道理。我在医院里遇到过一个多年住院的老病人，他喜欢对初入医院的病人进行口头预诊，结果证明，他的诊断远比一般医生经过多种仪器检查之后的诊断 高明得多。因为他除了妇科以外，所有的科他都住过，所以他是跨学科的专家，特别是他具有病人对病痛和医疗过程中的亲知，比如胃镜、肠镜的滋味。即使是名医也不一定知道。

贪吃成厨——这是我的说法，道理和久病成医相似。50年代人们说：吃在北京，确实是实话。当时全国各大菜系的饭馆都有，家家名不虚传。1954年春天一个傍晚，我作东，请程砚秋先生吃饭，作陪的有胡考、黄宗江等。去哪儿？事先征求程先生的意见，程先生是个率直人，当即就笑着说："去'康乐'，那儿的菜好吃。吃，当然要拣好吃的馆子。""康乐"？怪呀！程先生美食家也！京都名菜馆有的是，怎么会点了个名不见经传的"康乐"呢？据我所知，京剧界的大师们偏爱的是"丰泽园"呀！

我在"丰泽园"见过多次马、谭、裘和言慧珠、李少春等人。再一想，既然程先生点名要去"康乐"，必有道理。

结果，散席的时候，皆大欢喜。我问过“康乐”的厨师：“你们属于哪 个菜系？”他们笑了，回答说：“说不清，我们3个朋友，既是老板，又是厨师，还是跑堂 的。谁都没学过这一行。抗战时期，哥儿仨流亡西南各省，因为贪吃，尝遍了云贵高原和天府之国的美食。光复以后，回到北京，我们就集资开了个小馆，没想到，还挺招人儿。这不，像程先生这样的大名家都经常照应我们小店 。”啊！大名鼎鼎的“康乐”，主厨原来是业余之辈！这么说：“人皆可以为大师乎？”后来，北京经过1958年的“大跃进”，吃食店一律归于大众化。紧接着，五六十年代之交的大饥荒，别说山珍海味，就是大米都奇缺。各路英雄全无用武之地，北京的各大饭庄的桌面上，全都不忍卒睹。“烤肉宛”不仅没烤肉，连火烧都没有。由于营业时间大大缩短，“全聚德”门前大排长龙，我注意到其中不少名人，有个别人顾面子，拿张报纸半遮 着面。为了在新街口“西安食堂”占一个座位，几个有头有脸的电影演员当众吵了个翻江倒海。经过“文革”，七斗八斗，掌勺大师傅，改行的改行，死的死，许多菜馆连金字招牌也不剩了。到了80年代中后期，北京饮食行业的逐渐复兴，那是后话。

60年代初，我正在上海郊区工厂当钳工，粮食的基本定量很低，不够吃。越是没有吃，越是想吃，而且想吃好的。这样只有自己动手把有限的材料尽量做好，于是，我就想起北京“康乐”那3位无师自通的师傅来。

每个星期天，在黎明前的夜色中，骑着自行车到远郊，从那些“割不掉资本主义尾巴”的农民手里偷偷采买少量的鸡鱼肉蛋和新鲜蔬菜。背叛了孔老夫子关于“君子远疱厨”的教导，从杀生开始，做起“小人”来了。结果自学成才，竟能做出几样可口的小菜和各色面点。艺不压身，没想到，我这点雕虫小技，到了文革时期给了我很大的便利。武汉近郊有一个小小的劳改队，需要一个伙夫，就近在“牛鬼蛇神”堆里选中了我。我因此获得比别人更多的自由。

早晨，我可以独自去菜场自由采购。别人扛大包、种地的时候，我在厨房里配餐，菜刀和砧板的二重奏使我暂时忘了忧愁和困惑。藉此，我不断精益求精，技艺大进。不久，我注意到，经常有首长莅临劳改队视察工作，而且留下来进餐。菜金也相应地提高了。原来是我们这个小小劳改队的菜香通过看管人员的嘴，传到上级首长的鼻孔里。再过些时，已不是个别首长，而是成桌的首长莅临了。饭后还亲临我的小厨房，对着房顶说：“菜很好吃呀！”好像厨师在房顶上。我当然知道他是在表扬我，可一个非常革命化的首长，怎么能当面表扬一个“阶级敌人”呢？所以只好对我视而不见。

首长能够屈尊对着房顶向我折射着抛一声好，说明我做的菜真好，好得他必须冒着丧失无产阶级立场的危险来赞美我不可。不仅如此，我同时还惊喜地发现：人性是存在的！通过共同的需要，譬如吃，是可以沟通的。

不同“阶级”、不同文化素养、不同地位的人，即使各自都怀有相反的政治社会偏见，在饮食中的审美情趣竟如此惊人的相似！这些发现使我忘其所以，竟在锅边上敲着炒勺，大声吟诵起李白的《将进酒》来了：“天生我材必有用，千金散去还复来。烹羊宰牛且为乐，会须一饮三百杯……”这一轻狂的代价就是管训人员突如其来的、暴风骤雨般的训斥："你是什么东西？得意忘形！你的身份是什么？回答！""是牛鬼蛇神！""太笼统！""反党分子。""只反党？""反党、反社会主义、反对毛主席、反……三反，全反……""从今天起取消你进厨房的资格，归队去扛大包！"三天过后，用田汉歌剧《扬子江的暴风雨》里的歌词来表达，就是："骨头架子全都散了"。后来还是嘴馋的首长们救了我，一天上午，首长们突然要来视察，我被立即紧急召回厨房，又和油盐酱醋打起交道来了。

烹调这门高尚而又艰深的学问，我就是在这么一个严酷而荒诞的环境里自学成才的。有轻松，也有劳累；有辛酸，也有快乐；有屈辱，也有自豪；当然，是悄悄的。

面对大海的轻声叹息

傍晚，一条小小的渔船在晚霞的光焰里从万泉河口起越过大海回涌的浪花，进入深蓝色的狂涛之中。在我的注视下，与光焰同归于尽。岸边的小灯塔彻夜向那条已经消失了的小船忠诚地投射着间歇的闪光。清晨，当霞光在东方复燃的时候，她又重生了，高高地昂着船头在波浪中归来，泊在有一家吃食店的埠头上，岸上的女人走上船，和船上的男人各伸出一只粗壮的手，抬下一筐一筐五颜六色的鱼。女人不停地叨叨着，男人无话，因为他太累。没有死透的鱼眼仰望着天空，可能以为那是海，为此，用尽最后的力气跳了几跳，才知道“海”太高太远了，也就死了心。

这里是海南岛东部海滨，一个叫做博鳌的小镇。万泉河、龙滚河和九曲河都在这里出海，三条河互相谦让，委婉迂回，在海边织了一张小网。挽起裤管，涉一道水就是一块沙洲，遇上深些的河道，可以把搭在河滩上的木船拖进水，撑过河去，无须问那是谁的船，这里的人颇有古风，遇事把人摆在钱之上，只要与人方便，你就只管用吧。船是为了渡人制作的。在那些小岛的椰林深处，沿着石板路可以找到一些人家，他们的大门日夜都敞开着，不管主人在与不在，你都可以走进去歇歇脚。这里的人没什么怕丢的，最怕丢的是面子。

在一条无名沙洲上，椰树下搭着一些鸭棚，一位年过七旬精神矍铄的放鸭老人，放养着8000只鸭子。由于鸭子出生在不同的月份，所以一群是一种颜色，最小的一群像是一团团淡黄色的小绒球，我把这一群称为幼儿园小班，幼儿园大班的颜色略深一些，一年轻的翅膀就有了几片深色的硬毛了，到了三年级以后，雪白的羽翼都丰满了，只不过有个子大小之分。一群一群从不混淆。它们可爱得让我总想去抚摸它们，但它们并不接受我的盛情，呷呷叫着越过一条小河奔上另一片沙洲，得意洋洋地拍着小翅膀，抖着身上的水珠。放鸭老人俨然像一个完全小学的校长。这里四季如春，阳光充沛，连雨水都是温热的。细软的沙滩，清澄的淡水，碧蓝的海水。一支竹篙指挥着8000活泼欢快的生命，恐怕他在梦中都会笑醒。当代人类有几个老人能有这样大的福气，在大自然中怡然终老呢？出于对老人的艳羡之情，我走过去和他攀谈，结果大大出乎我的意料之外，他竟会说出许多不如意来，反倒羡慕那些水泥建造的高楼，羡慕宽阔平坦的公路，奔驰如飞的汽车和机船，以及各种家用电器……而且非常兴奋地告诉我：这里再过一两年就不得了了！我们的地、沙洲、岛屿全部卖了。成千上万的建筑工人，大掘土机，载重卡车就要开进来了！说是几十层的大厦一两年就能修起来！到那时候就好了！——他说最后这句话的声音特别大，可能他觉得我并没积极的回应，以为我是个聋子。我怎么会是聋子呢？如果我是聋子就好了，他说他的，我说我的，所答非所问，“天气真好鸭儿肥”，打一阵哈哈就算完了。正因为我都听进去了，我才在想：他说的好是指什么呢？指他自己？指这个地方？还是指这个世界？我无法向他解释我的黯然。人们——不同文化层次、不同生活经历的人，在不同历史阶段，都可能把一场即将来临的灾难误认为是某种理想去奋力追求，甚至不惜付出一切代价。而结果往往要在几十年或几百年之后才能看清，承受灾难的是第二代或第三代、第四代。有些人是因为没有远见，即使历史上某些大思想家、大政治家，最终证明他们仍然是短视者。有些人确有远见卓识、但急功近利。穷怕了的人，对于大自然的攫取往往是疯狂的。刀耕火种的人不正是那些家无余粮的山民么！被高利润诱惑得红了眼的人，他们对大自然的掠夺更加疯狂，很少考虑到后代人的荣枯。穷怕了又加上受高利润的诱惑，会是什么样子呢？可以想见。

我沿着海滩缓缓地漫步，任雪白的浪花扑打我的双脚。我看见，这一线绝少污染的海岸（包括那些没有被污染的心灵）已全部被林林总总的公司所瓜分，纷纷竖起了他们各自的界牌，界牌上写着他们的宏伟规划。我自信我不是个保守的人，我以为：任何一个思想开放的人，无论你有多么开放，都得明白一个事实，这些开发商们是为了造福于那个放鸭老人才来的吗？还是为了造福于这一方人？他们的一切规划理所当然首先是为了他们自己挣尽可能多的金钱。

我真想像大海那样，把波浪滔天的怒吼当做一声长叹。但在象征着大自然威严的大海面前，人太渺小太渺小了……

告别未英胡同

逝去的岁月和逝去岁月中的故事，像焚毁了的花朵，很难再拾起来，那些变成黑色或灰色的碎片都散落在哪儿了呢？

50 年代，我在北京断断续续住了三年多，大部分时间住在西单未英胡同 4 号，那是一条很僻静的胡同。4 号是个三进大院，当时是总政治部电影处和创作室。第二进的北房改建为一个小型放映间，来看电影的都是赫赫有名的元帅和将军，经常可以在那个简陋的放映间里看到罗荣桓、贺龙、萧华……等高级将领。1955 年春我被列入“胡风反革命集团”可疑分子名单，就是贺龙在那间小放映间里看嘉宝（Garbo）主演的《茶花女》时提醒我，我才知道。至于军内外的作家，在未英胡同出入的更是数不胜数，有些已经作古，如宋之的、马寒冰、杜鹏程等。杜鹏程的《保卫延安》就是与我为邻的时候完成的。未英胡同虽然僻静，却很方便，右一拐是西单，左一拐是和平门。去湖南馆子“曲园”吃汤粉，经常可以遇见齐白石；去山东馆子“丰泽园”吃烤馒头，遇到过裘盛戎；去“全聚德”吃烤鸭，遇到过程砚秋。去“长安大戏院”听杨宝森压根就不需要坐车，遛个弯儿就到了。

未英胡同的每一扇宅门都熟悉我，总是喜眉笑脸地看着我走来走去。我不想去回忆在未英胡同经历过的欢乐和痛苦，那将是一本很厚的书。我只想把我最后离开未英胡同之前一件与一个生命相关的小故事写出来，我曾为了那个生命多年都不能平静。

经过 1957 年漫长的夏天、短暂的秋天和严酷的冬天，经过军队中、上层领导人的讨论、僵持、争辩，我在 1958 年春天被戴上资产阶级右派分子亦即反革命分子的帽子。热烈的理想主义者被理想抛弃的痛苦绝不亚于临刑前的死刑犯。我躺在第二进东厢一间小屋里不吃不喝、没日没夜，等待着迟到的流放。这时，整个北京城锣鼓喧天，为响应毛主席消灭四害的号召，连小脚老太婆都上了房顶，敲着铜脸盆，以疲劳战术消灭麻雀。我很羡慕那些有资格参战的人。我知道，我已经被划到苍蝇、蚊子、老鼠、麻雀一边了。当一只失魂落魄的麻雀从窗外落进我的房里的时候，我不知道该怎么办。开始，它以为我是一个有权对它采取革命行动的人，吓得蹲在桌子上颤栗不已 地看着我。可能它渐渐看出我的目光和它的目光非常相似：惶恐，迷惑，对这个残忍的世界深为不解。它稍稍安定了一些，对着我乞怜地叫着，此时，我所考虑的是：一、把它抓住，上交。看着它的脖子被拧断，往山丘一般的麻雀尸体堆上一丢？不！把它交上去不就是一种出卖吗？而且谁也不会承认这是我的一个小小的革命行动，得到的只能是一个白眼和轻蔑的一声哼。二、把它赶到窗外，让它被追杀得心碎胆裂而死？不！虽然这样我看不见它的死活，但和这个念头同时出现的是：不知道哪一个时辰，我就会像它一样被赶出这间屋。我实在不能在自己被放逐之前做一次角色颠倒的演习，它不就是我么！三、把它收养起来，等这场浩劫过去之后再放它逃命？不！一个连自己也庇护不了的生命，怎么可能去庇护另一个濒危的生命呢？如若被发现，我还要承担窝藏反革命的罪责。这个惊魂未定的麻雀，和无计可施的我四目相对了两个多小时。忽然“砰”地一声，门被人踢开了，那个来宣布我去向的人走了进来。小麻雀立即扑翅飞起、夺门而出。我从卧式变为坐式，第一个感觉是得到了解脱，至少不是我赶它走的，它在我眼前消逝的时候是一个活泼泼的生命……

我离开未英胡同的时候，没有小麻雀的仓皇，像具活尸那样木然。未英胡同的每一扇宅门都变得陌生而冷酷，对我视而不见。从此我再也没敢回顾过那条胡同，因为我的过于短暂的青春和那只亡命的小麻雀，同时从那里惊飞而夭折了。

不以物喜，不以己悲

从我8岁那年开始，在中国、在我的故乡、在我的家庭中，发生了一系列迅雷不及掩耳的悲惨事件。那就是日本侵略军向中国腹地的大举进攻，故乡沦陷，举家在山野间流亡。小小年纪的我，背着一个沉重的包裹，包裹里除了自己的换洗 衣服、鞋子，就是一封父母写给“仁人君子”的求救信，信里附有我的生辰八字、双亲姓名和永久地址。东躲西藏的结果是：日本宪兵从我们手中把父亲抢走，他在炼狱中受尽酷刑之后，终被活埋。我曾哭得气绝，而后醒来。但如何面对这灭顶之灾，一片茫然。只能忍住悲痛，让火一般的泪滴在心中燃烧。铁蹄下的日月，几乎每天都能看到异类屠戮同胞的悲剧。我在日本人主办的学校里只上过一堂课，那堂课上，我学会了仇恨。那是一堂日语课，日语教师是个日军士兵。他当着三十多个孩子的面，抓住一个同学的头，往墙上连撞了十次，使他血流满面。原因是他不能用日语发音读出“中日亲善”四个字。一下课，我就再也不进校门了。只好在伯父的私塾里攻读我当时最不喜欢读的四书五经。国难当头，去钻故纸堆?! 实在很不情愿。而生活每天都在向我展示血淋淋的画面，使我渐渐发现古籍中也有比较容易接近的人物，那就是我们民族在历次浩劫中的英烈。从而，许多陌生的古训也变得亲近了，且不难读懂。在我背诵范仲淹的《岳阳楼记》的时候，特别把“不以物喜，不以己悲”这两句话牢牢记住。后来，我仍然经历了好多次的大起大落。每当面临重大抉择，每当厄运骤然降临，我都以“不以物喜，不以己悲”为准则。所以我始终有能力对自己的心态进行调整，使之保持平衡，取舍果断，进退泰然。人，对物质的实际要求是很有限的，而人的物欲却永无止境。终生陷入这个恶性循环的矛盾之中，实在是太滑稽可笑了！而且总是营营以求，最容易的就是堕落。这样的例子真是千千万万。任何一个个人在生活中时时都会有得失，如果终日为个人得失而戚戚惶惶，活着就太痛苦了。我前半生的道路都是由我自己选择的，战争期间当兵，和平期间写作，坎坷之多，可想而知。回想起来，许多劫难实则并非个人的劫难。即使是个人的不幸，戚戚惶惶的结果必然是惊惶失措，于事何补？历史上最有价值的文学作品，无一不是因为作品中人物的悲欢亦即时代的悲欢。所以我在作品中尽力追求的依然是“不以物喜，不以己悲”。而对我进行检验的唯一权威就是读者。我失望过——甚至绝望过，救助我的除了我自己以外，就是读者了！我记得，有一次我在厄运之中挣扎，突然收到千千万万读者的来信。其中有一封信来自内蒙古，是一个小姑娘代表她的全家写的。她在信中写道：“我们全家开了一个家庭会议，诚心诚意地邀请您来我们家作客，我们的蒙古包里永远都有您一张毡毯，我们的饭桌上永远都有您一双筷子。我们的头上永远都有您一片碧蓝天，我们的脚下永远都有您一片青草地……”试问：人间有什么财宝比她给我的信任更有价值呢？我突然从一个饥寒交迫的穷汉变成了富可敌国的大亨。她才是我至高无上的权威！即使我只得到过这一封信，我也应该坚强地活下去！不仅要活下去，而且要活着走向她、和她所代表的那个家庭，那座蓝天草地之间的蒙古包。以及她、他们和它所象征的一切……

冬 夜

身在海滨，时近黄昏。云层中的太阳还在等待着，等待着最后一次对大地施行光的喷射和色的濡染。

依山傍海的葡萄园，一片荒芜。一想到这儿曾经没日没夜地举行过丰盛的酒宴,心里就会由于失落而无限惆怅。当初那些喧哗的宾客们呢？竟一个也没有留下！翻飞小燕，逐花蜂蝶，御风蜻蜓，冷眼秃鹫，长翅苍鹰。还有比赛着欢唱的鸣蝉、蟋蟀、金铃子、蝈蝈儿。在空中撑着小伞、娉娉婷婷的蒲公英，含泪微笑的喇叭花……哪里去了？

此刻，眼前是一团团神秘曲线组成的图案，让我联想到被遗弃在战场上的铁丝网，那是依然死死缠绕着木架的枯藤。无食可啄的寒鸦，个个都缩着脖子站在木桩上，一动也不动。让人误以为他们本来就是业余雕刻家在那些原木桩上雕成的艺术品，一股无端的风，掀起乌鸦身上的羽毛和尾巴。乌鸦为了保持平衡，不得不伸展几个翅膀，这才使我确认他们是些活物。几片残存的、皱巴巴的葡萄叶子也跟着互相磕磕碰碰起来,像小提琴手在休止时的失误，琴弓碰撞了琴弦，于静谧中出现了几声不该有、但很悦耳的音响，不一会儿，又恢复了寂静。

春日的萌芽，夏日的勃发，秋日的辉煌和冬日的凋零……周而复始！每一颗蕾，每一片叶，每一只果，都经历过默默而痛苦的孕育、突破、渴望、奉献，用柔和的色彩和芬芳的气息去荫覆泥土，仅仅是为了求得生命个体自在的生存，和群体和谐的自然之美呀！别无所求。不！或许，生命的自强不息，对于死亡就是一种冒犯，就是一种蔑视，就是一种抗争，就是一种不得不发起的反攻，否则，自然界哪儿会有四季的轮回呢？

云层里的太阳，正在等待着对这世界进行最后一次光的辐射和色的濡染。一抹红晕，在天地相接的那条线上，不知不觉显露出来，成扇形向东、向南、向北展开。万物都把色温误以为气温，遍地的枯草，甚至连垃圾堆也因为得到了颜色而可爱起来；更不要说在荒原上随风轻狂起舞的纸片儿了。突然，亿万道强烈的光芒，简直是无声的爆炸！顷刻，贴着地面从西方云隙之中喷射出来。让你产生一种绝大的错觉：啊！这不是一个无需穿过暗夜长廊就可以观见的早晨吗！转瞬之间，掠地的光芒就凝结为满天的红霞了，红，红得真娇！真艳！人世间怕没有任何一个绝色佳人的面颊，可以与之媲美。又是一个转瞬之间，这意外的惊喜，就在我眼前熄火了。红霞迅速浓缩而近于黑，给人以触目惊心、血的惊悸！那印象至为深刻。所幸，也只是又一个转瞬之间，就化为一片簇拥在天边的紫罗兰花团了。紫罗兰花团随即渐渐散开，在越来越浓的夜雾里飘荡着，飘荡着……很快就不知去向了。

一群麋鹿，顶着最后一线夕阳，无声无息地在浅草地上鱼贯而行。领头的公鹿向着落日高傲地转动着多叉的角，像是一位带着臣仆和侍从在自己领地里巡行的国王，安详、从容而雍容华贵。

夕阳在短暂的弥留之后，颓然溅落在自己的血泊之中。难道不能从如此美丽的画面中平静地淡出么！寒风就像从草丛中蓦然跃起的亿万乌合之众，披着黑色披风，开始在夜幕下的海面上肆虐起来。被风撩起的大片大片的海浪，落在滩涂上，即刻变成叮咚作响的玻璃碎片。候鸟不是都已飞往更南的地方去了么？岸边的芦苇已经砍伐殆尽，显现出一层白色的羽毛。但我还是听见一声鸟的悲鸣，我猜想，一定是我在白天看见过的那只不幸丹顶鹤。前天，被偷猎者的枪弹打断了翅膀，养虾老人的小女儿在芦苇中发现并救起牠，收留在虾塘边的草屋里养伤。牠也许正在小女孩的怀抱里作着蓝天白云的梦，追逐并呼唤着自己众多的伴侣。

我觉得，最没有情趣的是雨加雪。入夜以后，偏偏是雨加雪从天而降。阴冷，潮湿，像一张净是口水的嘴，没完没了地舔你的脸，在你的耳边絮絮叨叨。蓦然，钟声由远而近地响了。一下、一下、一下、一下……好像没有个终结。已是夜半时分了吧？它是从哪个山寺的钟楼上飘来的呢？撞钟的是小沙弥？还是一位得道的高僧呢？撞钟用力推动那吊在梁柱间的木杵，默默地去冲撞比他自己大很多倍的铜钟，铜钟发出巨大的共鸣，梵音远扬。也许，恰恰是随着钟声升入化境的撞钟者自己，什么都听不见。无念无求，才会无见无闻啊！而对于像我这样的俗人，那悠远的钟声，隔着云雾，隔着黑夜，隔着雨雪，隔着遥远的路程，也许还隔着年代，一直春入我的心底。本来嘛！僧人撞钟就是给世人听的，是为了给世人以庄严肃穆的警喻。也确实如此，每一个人都以为“钟声为我而鸣”，大多数人在钟声里听到的是生，听到的是聚，听到的是起，听到的是盛，听到的是钟声的延续。而很少有人听到灭、听到散，听到落，听到衰，听到钟声的消失。听到生，就应该听到灭。听到聚，就应该听到散。听到起，就应该听到落。听到盛，就应该听到衰。听到钟声的延续，就应该听到钟声的消失……而消失是绝对的。此时，我才真的有了自以为早就有了的感悟。钟声已经消失了，雨雪也已禁声，风累了，海睡了，只有冰凌上的寒星醒着。

我不喜欢冬夜，虽然我就是在一个很冷、很黑的冬夜里出生的。而且曾经穿越过很多长长的冬夜，在心灵上刻下了一圈圈的年轮。但，我仍然不喜欢！不喜欢又该如何呢？冬夜还是冬夜。

野草莓

近年来，每到春天，从四郊赶来卖草莓的乡下妹，遍布上海的大街小巷。我记得从前在上海很难看到草莓，即使偶然碰到，由于来路很远，价钱昂贵，不新鲜，也很小。如今的草莓，真叫人赏心悦目，个儿差不多有一颗杏儿那么大，色彩艳丽得让人以为它们都是假的。在尖顶的部分，是那种朝霞般的殷红，渐渐地从上到下愈来愈淡，在接近叶托的地方，是浅浅的橙色。个个都是精美的艺术品，捧在手里，你都不忍心往嘴里送。为了让草莓保持新鲜，乡下妹已经早就不用传统的竹篮来装了，全都使用特制的箱隔，一隔刚好摆满一层，不会因为挤压而损坏。上好的草莓也只卖六七块钱一斤，应该说是很便宜的了。在巴黎，一个蛋糕，如果摆上几颗草莓，就要多付50个法郎。问了乡下妹才知道，现在种草莓选种很严格，又用暖房培育，温度适宜，肥水得当，照看殷勤……哪能不好呢！说是不忍心吃，还是得吃，因为草莓很难保存，根本就不能雪藏。摆在盘子里当花看，也只是两天。两天以后，颜色就不对了，草莓越是新鲜，水份越多，越可口，你只要拿在手里，就能闻到一阵清香。含在嘴里，你会于浓浓的甜蜜中兼得一份沁人心脾的酸。今天的新鲜草莓可以说在色、香、味三方面，都达到了很高的水平。可我仍然无法承认，这是我品尝过的最美味的草莓。你一定能猜想到：我品尝过更好的草莓。是的！那时候我很小，因为战乱，才有机会亲近山林。一个春天的午后，在溪水旁，放羊的老爷爷对我说："你怎么不到林子里去玩啊？林子里可好玩了！"我说："林子里好黑，我怕迷路。"老爷爷说："不怕！你要真的迷了路，松树公公会在你的脚下点亮一盏小灯笼，小灯笼还可以吃，甜甜的……""把小红灯笼吃了，林子不是又黑了吗？""不会，吃了一盏小灯笼，松树公公会在你的面前再点亮一盏一模一样的小灯笼。""是吗？""可不，跟我来。"于是，他就牵着我走进了森林。我说："好黑呀！老爷爷！"他指着我脚尖前面的草地对我说："你看！那是什么呀？""啊！"我看见暗绿色的草地上有一盏小小的红灯笼。老爷爷把那盏小灯笼摘下来，放在我的手心里。好红好红啊！像一颗小小的玛瑙钮扣。"它 叫什么呀？""它叫托盘儿，尝尝，看甜不？"我皱着眉头把托盘儿放进嘴里："好甜呵！""还有一点点苦吧？""是的，只有一丁点儿。""放心了吧？""放心了，老爷爷！""你可以自己在林子里玩了吧？""可以了。""我去了？啊？""好吧。"老爷爷离开了我。那天，在林子里，我走了很多路，找到很多小灯笼，吃了很多托盘儿。当我在一盏盏小灯笼的引导下重新走出森林的时候，老爷爷突然出现在我的身后，拦腰把我抱起来。原来他压根儿就没走远，一直都悄悄地跟着我。我说："松树公公就是你吧？"他捻着胡须笑了。若干年后，我才知道托盘儿就是野草莓。后来，我再也没有吃到过那样甜美可口的草莓了。我曾经苦思冥想过一个问题，就是：为什么那时林中的草莓，而且是很小很小的野草莓，会让我铭记终生呢？答案是：当时，我是在静谧的绿荫下品尝的，在杜鹃的鸣声中，在神秘的光影里；伴着探险的新奇，伴着寻觅的殷切，伴着孤单的惊恐，伴着一步一个希望的欢欣，伴着豁然开朗的狂喜……至关重要的是：野草莓除了甜以外，还有那么一丁点儿苦。这些已经随着童稚岁月的消失，全都一去不复返了！

温暖的钟声

月落乌啼霜满天，江枫渔火对愁眠。
姑苏城外寒山寺，夜半钟声到客船。
唐·张继《枫桥夜泊》

姑苏原来是一座“水港小桥多”的水城，在100年之前，城内城外的小桥曾经有千余座之多。随着生活的日趋现代化，小桥就越来越少了。“小桥、流水、人家”的诗情画意也渐渐在消失，使得不少怀旧的当地居民和远方游客越来越愁怅。但，“无可奈何花落去”！汉代的古桥能通过卡车么？不能！价值观念古今迥异，似乎天平一端的卡车比另一端的古桥沉重得多……旧情难再了！当然，今天仍旧还保留着一些古桥，其中最为著名的一座就是枫桥了。枫桥凭藉唐代诗人张继的一首直白如话、情景交融的小诗《枫桥夜泊》而声名远播。千千万万没有到过苏州的人，一提起苏州，就会想到“月落鸣啼霜满天”的诗境。今天的枫桥是清代仿古重建的，形似半月，吻合着水中的倒影就永远是一轮满月了。枫桥紧挨着初建于梁代的普明院，后来由于唐代诗僧寒山在此挂过单，人们反而忘了它本来的名称，都称它为寒山寺了。一个唐代羁旅者，在“江枫渔火对愁眠”中听到的寒山寺的夜半钟声，在姑苏城外的夜空中“悬挂”了一千多年，连同诗人的遐想，成为人类心灵中一幅永恒的音画！月落、乌啼、霜天、寒夜、江枫、渔火，孤舟游子，清波荡漾着离愁别绪……

近年来，每到春节的除夕夜，都会有许多国内外的游人和当地居民，置身于寒冷的雨雪中，在小小的寒山寺内外排队，等待到夜阑人静时分，去亲手敲响那古老的铜钟，人们既然是慕张继《枫桥夜泊》而来，为什么不仿效张继故事，在舟中听钟，而要在寒山寺的钟楼上去撞钟呢？一直到我陪伴着一些日本朋友，在除夕夜去姑苏城外等待撞钟的时候，才理解这一行动的真正含义。那情景是十分动人的：一个个虔诚地轮流着去推动那巨大的木杵，一声、一声地撞 12 响，有人撞 24 响，也有人撞 81 响……人人都希望自己撞出的钟声，在静夜里尽可能传得远一些。我问过不少各种职业的撞钟人（一般都是有些阅历的成年人）：你藉着钟声想向人们传达什么信息呢?答案几乎是相同的:温暖！我为这众口一词的答案惊喜异常！温暖！声音也能是温暖的么？是的！是的！在人生的旅途中，只有穿越过寒夜的人才知道：钟声的确是温暖的。而温暖的钟声又意味着什么呢？意味着没有回报的给予，以及人与人相互体贴和亲近的愿想……

春节除夕又要到了，如果“有朋自远方来”，为了撞钟，我还愿意陪同他们重访姑苏城，再谒寒山寺……撞钟，也听钟。

夜愈静，钟声愈响亮；夜愈寒，钟声愈温暖！

火　花

在美术界，我的朋友比文学界多。因为我是一个少年习画终无成就的美术爱好者。我所认识的画家中，有一位和我只有一面之识，而且我也没有向他通报过姓名。在我的藏画中至今都没有他的作品，他当然也不会记得我——他就是林风眠。

我从40年代末就开始读他的画，在画报上，在美术馆里，在朋友的家中。严格地说，他的画既不是通常意义上的中国画，又不是通常意义上的西洋画。就画幅而论，他的画全是小品：有花鸟，也有人物、山水。作为并不内行的我，只觉得他的画很醒目，有独特的个性：淡雅彩墨、简练构图；清新、飘逸。数十年风风雨雨，世事多难，林先生始终如一，不改清隽画风。身在人海中浮沉颠簸，心在烟雨里静思浮想。

关于他的经历，也只是偶尔听到朋友们谈起，才略知一二。先生早年留学法国，是第一批将西洋画的技法，通过办学，系统介绍到中国来的先驱者之一。他和吴大羽先生等创立国立艺术院（即杭州艺专），可以说桃李满天下。今天在国际画坛享有盛誉的大师如：赵无极、吴冠中等，就是他的高足。在60年代初，听说他除了给识家和好友挥毫以外，就是完成一些外贸任务。据说，通过外贸公司卖到国外的画，价格奇低。而他本人所得就更加微乎其微了，一幅画只有几元钱润笔。既然是任务，他也就不在乎钱的多少了。至少说明国外还有他的收藏者，而且还可以为国家挣一点点非常宝贵的外汇。

那时的中国知识分子，还没听说过“知识产权”这个辞汇。当时，我曾问过一个收购林先生作品的外贸工作人员，他用很权威的声调对我说：“林风眠的作品，显然是不能为社会主义上层建筑服务的，我们所以收购他的作品，是给他一个间接为社会主义经济服务的机会……西欧人很喜欢他的这种怪画。”我心里并不同意他的看法，想说点什么不同的意见，又缩回去了，欲说还休。

文化大革命中从美术界的造反小报上知道不少画家的悲惨遭遇，有些描述甚详，惟独在说到林先生的时候，只有两个字：在押。文革后，大约是1980的秋天，在上海我遇见一位记者朋友，他告诉我：林先生出狱了。我表示要去看看他，这位朋友把林先生在南昌路的门牌号码给了我。

一个晴朗的下午，我独自叩响了林先生的房门，应门的正是林先生自己，当他把我这个不速之客让进屋内的时候。我结结巴巴地做了一个不像样的自我介绍：“我只是一个……敬重您的人，很冒昧！……来……来看看林先生。只是……来看看您……”他指着一张椅子对我说：“请坐！你看，我自己一个人，实在没法招待你。”我道了谢，坐下来以后，才环顾他的住所，只能用四字来形容了！那就是：家徒四壁。除了我坐的椅子以外，再没有第二张椅子了，他自己坐在床沿上。他脸上充满了倦意，我小心地避免触及他心灵上的创痛，问他："您还画吗？"

其实，对于画家，这一问几乎涉及到他身心的全部，包括健康，以及艺术家对主客观世界的拥抱还有没有强烈的感应和激情。他立即回答说："不！不！我的眼睛看不见，再也画不成了。"我注意到他的小画桌上有一台砚池，池心是干涸的。画筒里只有两枝毛笔，一大，一小，笔锋弯曲而坚硬，它们已经有很多年头没有接近过水了，我打心眼儿里为他，也为中国惋惜。

这时，我再一次仔仔细细地环顾他的四壁，中国人室内的墙壁最能反映时代的特征，主人的个人爱好和情趣。他的室内墙壁上没有任何可以考察的痕迹，没有领袖像和当时很时行的标语口号，也没有中西绘画或其他装饰。我想，大概是他刚刚从一个完全封闭的地方回到社会上来，还没摸着时代和社会生活的脉搏。

当我的目光扫描到靠近林先生床头的壁上，忽然发现两幅火柴盒那么大的画，我定睛看去，他们本来就是从两张火柴盒上撕下来的彩色印刷品——那种被称为"火花"的小画。我把身子向前探着仔细地看，原来是两张民间剪纸画，都画的是儿童生活，一幅是一个小男孩抱着一支和他差不多大的大鲤鱼，另一幅是一个小女孩抱着一支和她差不多一样大的大公鸡，画虽小，色彩艳丽，情绪生动。由于是剪纸作品，有一种特别的拙趣。

林先生注意到我的目光所向，轻声缓缓地对我说："我的藏画原来是很多的……回来以后，一幅都没有了，什么都没有了。"说到这儿，曾经临摹、欣赏过几乎全部东西方绘画传世精品的林先生竟会灿然一笑,使我感到非常意外,也非常感动。“没想到,在一个抽屉的角落里还躲着一男一女两个娃娃哩!盒上的火柴头都脱落了,盒上的画揭下来还是鲜活的。我把它们贴在墙上靠近我的床头,可以常常模模糊糊地看着他们。怪……怪讨人欢喜的。”

我听了他的这番话,就很放心地起身告辞了,我坚信那两朵小小的“火花”一定会点燃林先生的创作热情,重操水墨生涯,即使他的双目失明。不朽的《合唱交响乐》(第9)不就是晚年的贝多芬在双耳完全失聪的窘迫下完成的吗!果然,不久听说林风眠先生移住国外,后来为了和祖国靠得更近些,又定居香港。在他生命最后的一段岁月里,他画了许多优美的画。依然是:淡雅彩墨,简练构图;清新、飘逸……

迎着满月飞行

苏轼在1076年中秋夜，“欢饮达旦，大醉，”写了一首传诵千古的《水调歌头》。在“不应有恨，何事长向别时圆？人有悲欢离合，月有阴晴圆缺，此事古难全”的感慨之后，又有“但愿人长久，千里共蝉娟”的祝愿。

今年的中秋夜，我正在由马来半岛飞向香港的空中。从飞机的右舷窗望出去，一轮满月似乎正迎面飞来，银色云海上凝固的波涛托着东去的我和西来的月亮。我以为一会儿工夫就可以和月亮在空中相遇，那时，或许能一睹嫦娥的芳容。但，过了许久，我和月亮还保持着原来的距离，甚至她渐渐在偏离我。我的确有点失望，叹了一口气，情不自禁地，轻轻地……这时我才发现我的邻座，一位我不敢断定国籍的少女笑了，也是情不自禁地，轻轻地……我猜想她一直都在观察我，而且看出了我儿童般的妄想。我实在有点不好意思，不知所措。她当然看得出我的窘迫，立即用英语对我说：对不起，我不是故意的。我不知道怎样回答她，只释然地一笑，问她：你是马来西亚人吗？她突然改用华语说：应该说，我是马来西亚华侨。她的回答使我喜出望外，于是，我们就相识了。接着她问我："您为什么不在马来西亚过中秋？马来西亚的中秋很热闹，特别是华人，在每一个城镇都要举办灯会。从小学生到老人家，人人都要别出心裁地制作一盏纸灯笼。像槟榔屿，连续几年的中秋都遇到过一阵疾风骤雨，打碎了多少精美的灯笼。可今年槟城扎灯笼的华人更多……可能是因为天上那盏共同拥有的灯是打不碎的，人们才不觉得遗憾。风雨过后，月亮特别亮！"我反问她：你怎么也不在马来西亚过中秋呀？她这才告诉我：她是一位航空小姐，得用"难得争取来的、最美丽的假日，去香港看望我的Boyfriend（男朋友）。"说到这儿，她自己都乐得抿不住嘴。我心里暗暗地想：看来"千里共蝉娟"是不够的，那只是诗人无奈的慰藉。后来，见多识广的她，向我谈起世界各国有关月亮的节日。她说泰国的八月十五称为"祁月节"，他们要用甜甜蜜蜜的甘蔗扎彩门。朝鲜称八月十五为"秋夕"，妇女们在月光下荡秋千，像仙女一样。日本也供月、拜月，用野草装饰家门。印度称为"明月节"，印尼称为"大月节"，老挝称为"月福节"……她说："我最欣赏非洲坦桑尼亚的桑吉巴尔人的'月圆节'，他们在月亮升起之前就来到广场上，静静地坐在草地上，虔诚地仰望着月亮，抚摩着自己和爱人身上的月光，一直到月亮西沉，才开口谈笑，那可真是太美了！"她说到这儿，我们也都默默无语了。又过了很久，飞机才开始向下滑行，灿若银河的香港正在我们的脚下晃动……

她在飞机停稳、向我告别的时候，有些怅惘地说：

“我虽然经常在天上飞来飞去，但我知道，每一次都得重新回到地面上……”

“……”我仍然沉浸在默默的月光中，只握了握她伸出的小手。

鼠年说鼠

鼠年将至，不知能否说说鼠？12生肖之中，唯鼠最小。如果鼠都不能说，那就什么都不能说了。鼠最贪，最狡猾，最猥黠。鼠是人们最熟悉的东西了，穷人对于鼠辈尤其熟悉，俗话说：穷屋多鼠，鼠辈欺侮穷人无力，大白天在穷人的眼皮子底下公然偷盗，甚至抢劫。天下穷人都要被迫与敌共处，鼠愈肥则人愈瘦。说到鼠，我自然而然地就想起我的一位河南老乡，秦代丞相、上蔡人李斯。他年轻的时候，曾在故乡当一名小吏。应该说，他从小就是一个聪明人，也很有见解。他通过自己的观察，把鼠分为两大类：一类是厕鼠，一类是仓鼠。这种分类从社会的角度来看，是很科学的。他认为厕鼠吃的东西不洁净，还经常要受到人和狗惊吓。仓鼠就大大的不同了，吃粮就近，特别方便，住在高大的屋舍之内，又不受人和狗的惊忧。所以李斯从中得到的启示是：人的聪明和愚蠢就像鼠类，关键在于自己的地位在哪儿。如果把某人称之为鼠辈，某人一定视为最大的轻蔑和羞辱。李斯则不然，作为一个为官者，却诚诚恳恳地把官者比做鼠辈。因此，李斯终身得益于鼠，很快他就摆脱了“厕鼠”的地位，而登堂入室成为秦庭的“仓鼠”。侧身于秦始皇左右，居一人之下，临万万人之上。为了巩固最大的“仓鼠”的地位，他为秦始皇出了很多主意，有好有坏。著名的好主意就是那篇《谏逐客书》，他分析了容纳外来人的利大于弊，对客卿应该实行开放政策。著名的坏主意就是遗臭万年的“焚书坑儒”。但，鼠目毕竟寸光，李斯只想到“仓鼠”的安全和快乐，却没想到“仓鼠”会快乐到利令智昏（这是鼠性所决定的、必然的结果），爬到仓主人的头上拉屎拉尿，大胆到啃起主人的鼻子和耳朵。到了这一步，仓主人也就不客气了，秦始皇的儿子胡亥是李斯和赵高一手扶起来的小皇帝，为此，他们曾经耍了许多阴谋诡计，如：秦始皇死于南巡途中，密不发丧，赐公子扶苏和大将蒙恬死。反过来，李斯却死在胡亥和赵高之手。腰斩，夷三族（父族、母族、妻族全部杀光）。李斯临死之前，想到的不是他长期据皇仓为霸鼠时的方便和享受；而是他少时身为小吏，驾鹰隼、驱黄犬、出上蔡门、追逐野兔的那一瞬。这就是人们熟知的，李斯的生命最后时刻的、富于诗意的一叹。个口滋味是极为复杂的，曾经拥有的炙手可热的权势地位、富可敌国的金银珠宝，已是过眼烟云，了无痕迹；卑微时在故乡及时行乐的情景却清晰地再现了！这是一个曾经甘为鼠辈的人，最后的、人性的回光返照。

鼠辈是个繁殖最快的种族，从来没人提心鼠辈会濒临灭绝。而且它们的开拓性特别强，一座全新的大厦刚刚落成，最先进驻的不是猫类而是鼠辈。按照人之常情来看，所有的人都会厌恶鼠辈，这就是人们常说的：老鼠过街，人人喊打。但也有例外，柳宗元有一篇名作《永某氏之鼠》，其中的永某氏就是一位不许养猫，不许击鼠的家主人。结果，鼠辈们奔走相告，全都到了永某氏的家里。我每次读这篇文章的时候，既相信实有其人，（否则鼠类不是早就灭绝了吗？）又百思不解。于是，就有了如下的自问自答："永某氏为什么如此爱惜鼠辈呢？就像当今社会上的'厕鼠'和'仓鼠'泛滥成灾，光天化日之下，峨冠博带，招摇过市，世人有目共睹，却对它们无可奈何。是因为把它们养得太肥壮了？""是的，它们肥壮如牛、如象，甚至肥壮如山！""是因为它们已经结成了一条联合阵线？""是的，这条联合阵线密如蛛网！""是因为它们长了翅膀……？""没有，但是，如果你问：在地上和空中，谁最快乐而自由？回答是：鼠类！""是因为它们洞穴太多？""是的！它们的洞穴与洞穴之间还有地下通道哩！""是因为……是因为……仅此，能消除我的困惑么？""不！我依然是百思不解。"

重蹈死亡之路

每一次访问德国，都有机会乘汽车沿着蓝色的莱茵河旅行。那实在是太美妙了！莱茵河畔有许多风景如画的小镇，通常都有一座尖顶小教堂，一所小学校，一个小广场，一两家酒吧或餐厅。可惜！我忘了那个春天中午歇脚的小镇叫什么名字。陪同我的翻译小姐建议我在那里停车吃中饭，我欣然同意了。小饭馆的老板是一个法国人的后裔，给饭馆起了个很幽默的名字——“狗抽烟”。店外挂着的招牌就是一只抽着烟头的卷毛狗，一副神气活现的样子。如果在中国，抽烟的人一定会“对号入座”——自以为是在骂他，而决不光顾此店。欧洲人则不同，谁都不以为：狗抽烟就等于抽烟者全是狗。我们进入小店之前，就看见店门前已经先停了一辆崭新的黑色“奔驰”。进店以后，看见靠莱茵河的那张桌子已经坐了3位客人，一位是年事很高的老人，他的座位边摆着手杖和一个可以折叠的轮椅。两个妙龄少女，年龄相仿得很难分出大小来，她俩头挨着头，在窃窃私语。我一眼就能认出他们是犹太人，因为她们都穿戴着犹太人特有的黑色衣帽。看得出：布料是意大利生产的丝织品，做工也无可挑剔，非常精良。线滑而不反光，高贵而不浮华。虽然战争过去了已经半个世纪，三个穿戴着典型犹太传统服装的犹太人，坐在德国的小餐馆里，不仅引人注目，而且一定还会让人想起点什么来。我这个东方人当然也引起了他们的注意，在翻译小姐向老人点头致意的时候，他问道："他是日本人？"翻译小姐回答说："不！是中国人。""啊！中国人。"看不出老人的表情，因为他那瘦削的脸干枯得像木乃伊的脸，皮下就是骨头，已经没有肌肉了。但从他的口气里，听得出，他的态度是和善的。接着他竟会提出和我们的桌子拼合起来的要求。"大家谈谈，喝一杯，酒钱由我来支付。"他的慷慨使得翻译小姐着实吃了一惊，眼睛突然放出光来。没等说给我听就表示了同意，我当然知道，她是很喜欢小饮一杯的，特别是上乘法国波尔多葡萄酒。她立即和餐馆老板把两张桌子拼合在一起，嘴里一边说着感谢的话，一边招呼每一个落座。第一道菜上来的时候，一瓶放在冰筒里的红"波尔多"拿上来了，老板当着我们的面打开瓶塞，先给老人斟了小半杯，老人品尝了一口，闭着眼睛点点头。老板快活地打了一个响指，故意用法国腔调的德语说了一句"祝你们胃口好"就退下去了。无论在世界哪个角落，酒都是兴奋剂，一杯下肚，连我也敢通过翻译小姐向老人提问了。第一个问题实际上是一句客套话：您从哪儿来呀？这样，就打开了他的话匣子。老人用平静而又温和的英语娓娓道来，我从他的叙述中才知道，他曾经是一个德国犹太名门望族的公子。不幸在战争中有6年的青春时光，被辗转囚禁在纳粹的各个集中营里。在奥斯维辛集中营里呆的时间最长。战争结束以后，他意外地活下来了。但他以为全家其他人都已死去，自己就失去了生存的欲望。在他正要自尽的时候，国际红十字会奇迹般地给他送来了他唯一一个亲人的电话号码和通信地址。那就是1941年奇迹般逃出纳粹魔爪，经瑞士流亡美国，在纽约定居的妹妹。现在在他身边的两位小姐，就是他妹妹的一对千金。他这次访问德国和东欧的目的，用他自己的话来说，是“旧地重游”。（我在心里暗暗地对他深感敬佩：这老人真勇敢！决非一般的勇敢！这不就是重蹈50年前的死亡之路吗？如果是我，可能会终生躲开这条路。而不愿再一次撕开受创滴血的心。）虽然，他妹妹曾以他的健康和能不能承受如此强烈的刺激为理由，再三劝阻过他，但他还是一意孤行，决计上路了。全家只好同意他在两个外甥女的陪同下出行。俩姐妹正好非常乐意，用她们的话来说：“我们要充当外公的卫士，要是再遇见希特勒的党卫军，我们一定把他们消灭光！”我们都笑了：“再？不会有再了！”正因为不再，老人才允许你们这一对花朵似的外甥女跟他一起来呀！后来我问老人：“您在那段黑暗的日子里，最难挨的是什么？是酷刑？是饥饿？是瘟疫？”老人想了想说：“不！最难挨的是：不知道世界上还有没有在纳粹冲锋枪射程以外生活的人。不知道史大林格勒有过血战。不知道列宁格勒的被围和解围。不知道有诺曼地登陆。不知道现在是哪一年？哪一月？哪一天？几点钟？甚至不知道自己在什么地方？时间显得特别漫长。战争后期，当盟军的飞机飞过头顶的时候，你还以为它们当然属于希特勒。即使听到了如同雷鸣般的重炮声，也不敢设想那就是盟军前进的脚步。甚至压根儿就不知道有抵抗希特勒的盟军。看不到报纸，听不到广播，连正常的人声都听不到，听到的只是难友的哭泣，垂死的呻吟，惊恐万状的号叫，被疯狂纳粹的喉咙扭曲成狼吼的德语。你只有相信他们，他们不仅统治着人类，还统治着天堂的上帝和地狱的魔鬼。你以为你生下来就应该闭上嘴，自己咬断自己的舌头。你以为世界的疆域就是奥斯维辛的疆域。你以为人类的天空就是奥斯维辛的天空。你以为你唯一的出路就是在某一天，看守突然喊了一声你的号码，你立刻脱得精光，被赶进走向煤气室的队伍……"

我情不自禁地打了一个寒噤，上牙不住地磕碰着下牙，"得得得……"地发响。在此之前，他的声音既平静而又温和，只是后来明显地感觉到他的呼吸在渐渐急促，眼眶在渐渐变圆。突然，老人的声音一下提高了八度，疯狂地、声嘶力竭地喊叫起来：

"这不比酷刑、饥饿、瘟疫要难挨得多吗!?"俩姐妹立即吓得面无人色，小声交换了两句话，匆匆结了帐，一面劝慰着外公，一面在餐馆老板的帮助下，推着老人的轮椅飞快地出去了。在老人被扶进汽车的时候，他还在大叫：

"没有期待？不比死要艰难得多吗——!?"

我在强烈震惊之余，很自然会想到：我本人不也是一个二次大战的受难者吗？可能因为年龄太小，孩子心灵上的疮疤是比较容易平复的。(实际上，我一生都是个简单幼稚的儿童。)因而也就没有长时间的痛定思痛。

对于他往日的悲惨遭遇和此刻的激烈反应，我如同身受；是的，最大的痛苦莫过于此了。

廊桥寻梦

一

很柔情的名字《廊桥遗梦》(又一次显示了中文的魅力)。读了这本薄薄的小书，我并没有觉得它特别精彩。它是一本典型的通俗读物，一个简简单单的爱情故事，两个已经走过了风雨中年的男女，偶然相遇、相爱，在短短4天突发的激情之后，又不得不忍痛分手。就是这样的一本书，竟然会在全球卖了1000万册!使这位名不见经传的作家意外地发了大财。在中国，有些女读者一买就是10本，分赠给友好，以致供不应求。

6月下旬我到了美国才知道，美国大多数书评家并不看好，认为这本书的文字“坏得令人难堪”，“甜腻得像一罐打开过久的可口可乐：没有味道。”评论家和大多数读者有很大距离，这是常见的现象。我一到明尼亚波里斯城，就去看了根据同名小说改编的电影，那是一个名叫大街(MAIN STREET)的影院，而且坐落在MAIN STREET上。听说这就是20年代美国作家S. 刘易斯在《大街》那本小说里描写的那条大街。影院里的观众并不多，除我以外，只有20对年龄不等的男女。据说这部影片在美国已经轰动过了，和我一起看电影的只是一些“补课生”。这是自导自演《杀无赦》一片获得奥斯卡金像奖的克林·伊斯伍德自导自演的另一部影片，而且是在众多大明星之中选中了当代最优秀的表演派巨星梅莉·斯特里普扮演女主角法兰西斯卡。梅莉也不特别欣赏小说，她是看了剧本以后，创作欲望才燃烧起来的。梅莉在《廊桥遗梦》中的表演，证明她的演技已是真正的炉火纯青了。不少人在看了她和克林的激情表演以后，咬定他们不是在表演，而是真正地爱上了！肯定！甚至传出许多关于他们的绯闻来。我以为：正因为法兰西斯卡是一个平凡的人，正因为是一个平凡人在平凡日子里的一段不平凡的情感遭遇，对于演员来说，才是一场十分严峻的考验。看完电影以后，我曾经想象过，如果不是梅莉·斯特里普来扮演这个角色，任何一位大明星来代替她，其结果究竟如何呢？实在是很难想象。梅莉·斯特里普稍稍发胖的身材，和故意略带意大利口音的英语，让人不得不信服，她就是爱荷华乡间一位意大利后裔的农妇。爱荷华的田野对于我来说，是亲切的，因为我曾经在爱荷华有过一段难忘的居留，使得我相隔7年以后，再次访美的第一个愿望就是重返爱荷华。特别值得赞扬的是梅莉·斯特里普在两个重场戏里的表演。一场是这个生活安定、平静、家庭融洽而又非常寂寞的农妇，在4天从未有过的、刻骨铭心的婚外恋之后，经历了千百次灵魂的挣扎，终于还是没有和那个浪迹天涯的摄影记者出走。——这是区别于《安娜·卡列尼娜》和《包法利夫人》一类古典故事的最重要之点。情人去了！丈夫和儿女风风火火、热热闹闹地回来了。在这短短几分钟里，只有梅莉！只有她能用她美丽而变化万千的眼睛，才能说出此情此景下，法兰西斯卡尖锐的内心矛盾。

我深深地感到作家的笔绝对不可能有梅莉的眼睛那样，以如此简练的“文字”描写出如此丰富的内容。观众和她一起在承担一个女人徘徊在责任与激情之间的极度痛苦。尤其是他们在大雨下小城里的一次偶然相遇，她与丈夫在一辆农夫车上。那落汤鸡一样的情人站在街心的豪雨之中，痴痴地注视着她。而她那绝望的泪眼偷偷地看着车窗外的他。失态的她又无法回答老实忠厚的丈夫的疑问。她的手几次按动门柄，终于没有按到底。十字路口的绿灯亮了，前车必须让后车。那绝对属于最后的、心碎胆裂的一瞥……使我相信梅莉也像法兰西斯卡一样，经历了那死亡般的绝望！这一切，只有梅莉能做得到！这时，我才相信天才演员所能表现的高度准确性，使任何一瞬间的、细微的感情流露，都能对观众产生强烈的震撼。在这里，没有故事，没有任何戏剧性的安排，只有梅莉！只有梅莉的眼睛！因而，我更喜欢电影《廊桥遗梦》，或者是说，我更喜欢梅莉的《廊桥遗梦》。

梅莉是有电影以来的第二个嘉宝！她几乎可以不以青春和美貌成功地扮演任何一种女人。

二

6月 27日，我到达爱荷华城，在作家聂华苓家做客的当晚，就鼓动华苓去麦迪逊郡寻找那座廊桥。华苓欣然同意，次日清晨，我们就驱车上路了。我们经过的道路，真的是我在美国从来都没有经过的乡间公路，每一辆车的背后都拖着一条长长的尘土的尾巴。开了两个多小时还没找到，我们只好向一位中年农妇问路，她有点得意、又有点羞涩地给我们做了详细的指点。很快，那座像一间长长车厢般的廊桥就遥遥在望了！据说这种古色古香的廊桥，原是日耳曼人的传统建筑。显然，这里曾是德国人的后裔聚居的地方。我以为全世界最美丽的廊桥不在别的国家，在中国的西南部。如湘西、贵州和四川等地，就有很多廊桥。也叫风雨桥，歇脚桥。翘角飞檐，雕梁画栋，风铃叮咚……桥两侧就是两排供行人歇息的靠椅。乡人三三两两、脊背靠着桥栏杆谈天、观景、打盹儿、做针线……如贺龙元帅儿时湘西桑植的老屋，一出大门就是一座廊桥，乡人都说：贺家人一出门就上了官桥！而这里的桥为什么有顶又有壁？真是不懂。我想：只有一种解释，就是：保护桥面，不受风雨的侵袭。上了廊桥，一览无余。河水并不汹涌，两岸的风景也很一般，可以说有点荒芜。出发前，我和华苓都以为我们已经够罗曼蒂克的了，大老远奔来，只是为了来观赏小说和电影伪造出的一件古董。到了桥下一看才知道，汽车源源不断驰来，和我们同样好奇的人有的是。一打听，来这座廊桥寻寻觅觅的远客，有来自加利福尼亚的，有来自德克萨斯的，有来自纽约的……不过，说起来还是我来得最远——中国的上海。游客中竟然有两位不算年轻的职业摄影记者，像罗勃一样从不同的角度拍摄着廊桥。他们是不是也想沿着罗勃的道路，碰碰运气，或许会和另外一位法兰西斯卡巧遇？想到这儿，我止不住暗暗好笑。这座廊桥的檐眉上写着两行字：HOGBACK BRIDGE BUILT

1884（猪背桥 建于1884年），这在美国当然算是一座很古老的桥了。

人们来寻找什么呢？是真的来寻找法兰西斯卡和罗勃遗留在廊桥上的一场旧梦么？这里首先涉及到一个这样的问题：小说《廊桥遗梦》和电影《廊桥遗梦》为什么会引起这么大的震动？不仅在美国，在世界的许多地方都成为一个街谈巷议的热门话题。在美国，毫不奇怪，它是美国人对自身曾经疯狂追求过的价值观念产生怀疑的反映。个人主义是美国社会政治的基础。60年代是性解放的年代，七、八十年代则直截了当地被称为“我的年代”。我喜欢做什么就做什么，以致出现各种怪诞、畸形和不可思议的性滥交现象。可以说：无奇不有。仅婚姻而言，目前每两个美国的家庭中就有一个家庭离异。这些，和由此而蔓延的、令人谈虎色变的爱滋病一起，给人们提出了一个除了自由选择以外，对家庭婚姻还有没有责任的问题。作者选择了爱荷华州乡下为这一故事的背景，是不无道理的。爱荷华州是个农业州，人们比较重视土地、家庭、亲情、邻里、教会和传统的价值观念，婚外情直到今天都为社会所不齿。他们常说：甜甜的玉米、静静的家庭，挺好！但大多数老实忠厚的丈夫并不理解难耐寂寞的妻子，使得女主人公内心的责任和激情发生了冲突，同时又把短暂的激情（莫测的未来）和长久的宁静（终身的寂寞）放在同一个天平上。《廊桥遗梦》的全部戏剧性正在于此！也正是当前大部分美国人不得不思考的问题。至于美国以外的大部分国家，传统的习俗和礼教已荡然无存。即使是中国，近年来，一切传统的约束都越来越弱，在有些地方，就像被洪水冲垮了的堤岸一样。

当然,《廊桥遗梦》给人的答案既朦胧、又忧伤,而且还有点儿甜丝丝的。作者似乎想尽量做到完美:法兰西斯卡保留着短暂而完美的梦境,让醉心的记忆陪伴着永远的孤独。同时也无须去冒险,像安娜·卡列尼娜和包法利夫人那样,在诅咒爱情和情人的绝望中惨死……她只能这样,今天的读者也很容易满足,不是连法兰西斯卡的儿女都能理解母亲生前这一短暂的“背叛”吗!甚至可以说对妈妈“恰到好处”的进退还有些欣赏……

宋瓷·宋词

一提到宋代的文化现象，人们就会想到宋词和文人山水画。宋词和宋代的文人山水画，就其意韵而言，如同孪生兄弟，十分相似地反映着古代中国人的审美原则：形似中孕育着神似。平和、优雅而含蓄。特别是在北宋，读宋词如入文人山水画的画境，读文人山水画如闻宋词的吟诵。到了南宋时，宋词悲怆的豪放时时多于闲愁的婉约，文人山水画也就和宋词的形神渐渐拉开了距离，以致衰微。人们在谈到宋词和宋代文人山水画的时候，往往忽略了另一艺术成就，那就是宋瓷。实际上，宋词、宋瓷和宋代文人画三者统一体现着宋代的文化风骨。宋瓷很像宋代的文人山水画，在宋室南迁以后，也和宋词渐渐拉开了距离。因为，宋词不可能不承担屈辱和战乱时代的激愤，宋代伟大的女词人李清照就是一例，她在离乱之后到了南方，往日汴京“人静皎月初斜，浸梨花”的情景已经非常遥远了，最真切的却是：“永夜恹恹欢意少，空梦长安，认取长安道。”正相反，宋瓷和宋代文人山水画是难以承担时代责任的。在继承唐、五代陶瓷成就的同时，中国文化经历了一个长时期与外国、异族文化的互相渗透和融合的阶段。到了宋的再次统一，自然而然地又系紧了民族情结，使陶瓷艺术达到了一个空前鼎盛的时期。在陶瓷这种实用器皿上的无限审美追求，当然和宋王朝的奢靡之风有关，而宋瓷在精益求精的同时，毫无疑义地进入了文化艺术的殿堂。对于当时的工艺师们来说，这一切都是在有意无意之间形成的。实则是：一个民族的审美趋势离不开时代的风尚，艺术在时代的风尚影响下形成自己独特的意韵。

当然，古代的瓷器和青铜器、漆器从始至终都是出于实用才制作的，艺术意韵的追求，是创造者在创造中，逐渐增强的。凡是创造，都会自觉或不自觉地向往尽善尽美。我欣赏到的宋瓷，比起专家来，微乎其微；比起一般人来，却不能算少，总体印象和前人一样：纯净、素淡、沉静、典雅……你会联想到宋代文人画中的秋江溟泊，青山烟雨，月下孤舟，寒江独钓……听说上海的古玩市场日趋活跃，可惜很难抽出时间去逛逛。朋友们盛情，送了我几件古代陶瓷，其中有一只南宋青白瓷芒口刻花碗，很能代表两宋之交的意韵，所以我很喜欢，碗口直径约187mm，高只有约50mm，金属碗边虽已腐蚀脱落，但今天仍然可以想见，当年工艺的精巧。青白釉中隐约泛出极淡粉红，碗底釉下有一朵浅浅的线刻牡丹和弯弯的一枝叶，组成一个饱和的圆。实在是简练得不能再简练了！可就是那么耐看，你说怪不怪！说明宋代艺术确实是在最大限度的简练中追求最大限度的丰富。我在下意识里，一直疑心它那薄薄的瓷片中藏着一个高洁的灵魂。所以，我常常久久地注视着它，猜测着它，欣赏着它……无怪T. S. 艾略特在一个静止的中国花瓶面前，总以为它在不断地运动。的确，正像我眼前的这只南宋刻花碗，无论是图案还是整体造型，无论是颜色还是光泽，都确切在永久的静止中包含着永久的运动，陶瓷艺术的生命在烈火中诞生，在诞生的同时，立即铸为永恒。

由此，我想到了文学。其实，一部文学作品的空间（不管是一部多卷集的长篇小说，或是一首短诗），也像是一只碗的泥坯那样有限。首先，你的困难在于你能否在有限的空间里创造出无限？你能否找到一个你的形式，能否轻松而又艰难地在一个圆里，浅浅地用几条线刻出一朵简练的花，和一片与之匀称和谐的叶，并让它在你给它设定的位置上永生?！像雪山下的清泉那样，平淡而又隽永，沁人心脾。

说　玩　物

应该承认，我很小的时候，就非常喜欢名家字画和古玩。我常常站在一幅名家字画或一尊青铜器面前会呆呆地看着，很久不愿离去。小小心灵里会产生许许多多的问题来。历史教师曾经告诉我："古人和现代人的主要区别就在于，后人使用的工具永远比前人先进。所以后人制作的一切都比前人好。"可我又在直感上相信，许多古代艺术品，现代人是制作不出来的。特别是隐藏在物体之中的一种文化韵味，无论如何都复制不出。为此我问过我的父亲，父亲回答我说："小小年纪，怎么会迷上这些东西！玩物丧志。"我虽然不懂"玩物丧志"是什么意思，但能听出他的语气中包含着责备。虽然这4个字从来都没说服过我，但对我有着很深的影响。数十年来，我对古代字画和器皿只是喜爱和欣赏，而绝不敢、甚至不想拥有。因而有过许多遗憾。50年代，我经常逛北京琉璃厂古玩商店，从不想谋点什么"宝物"。其实那时的名人字画和古董珍玩是很便宜的，按四十余年稿费不变的情况来计算，当时我的收入，完全可以收购一些我特别喜爱的东西。和我在一起工作的画家黄胄，曾经多次劝我购买名人字画（当时还健在的齐白石的画，标价9元一尺，可以随时上门向老先生面洽。即使是扬州八怪、八大山人的真迹也只在百元或数百元而已)，他愿意为我做鉴定人，我都一笑作答。而且我只买木刻水印的复制品（如：我喜欢的明代沈周的小品和唐寅的山水等)，甚至买过一尊近代民间雕刻的汉白玉佛头。所有这一切都是为了避免“玩物丧志”的嫌疑；当然，也就错过了许多拥有珍品的机会。在大炼钢铁的时候，劳动改造中的我，正在运输卡车上般运“废钢铁”，眼睁睁看着许多镀金、铜和铁的古代佛像，溶化凝结为真正的废铁，感到非常可惜，又无可奈何。60年代初在绍兴种水稻，每个星期天，都要和农民一起背纤拉船进城。他们上街买卖东西，我则溜进博物馆。除了鲁迅和秋瑾的故居之外，我最喜欢的就是徐文长故居了。那时整天也不一定有一个参观者。静静地坐在沿墙而上的青藤之下，清浅、袖珍却永不枯竭的天池之上，小小院落尽在绿荫覆盖之中。你会想象出这位明代通才大家的孤独和痛苦，甚至能听见他的吟咏和演唱。我也常常光顾唯一的文物商店，只是为了看看琳琅满目的古代字画和数以百计的端溪砚。那时，每方端砚只要4元钱，这还是外销日本的价钱，可见收购价更加低廉。绍兴是个出了1000年师爷的地方，砚台多，也是情理中事。大量砚台贱价出口日本，实在可惜！有些砚台还是元明时的名匠之作。我每次总会买一两方，赠送朋友。有一次，文物商店的店员向我介绍一方硕大的墨海，砚背刻着旧主人的自画像。我一看，原来是明代画家吴宽自用的墨海。店员对我说：“这是一件文物，卖到日本去实在有点可惜，你买了吧！10元钱。”说来惭愧，我当时只有5元钱……下一星期天带了钱去，已经不见了。我为此曾经惆怅叹息不已……文革开始以后，自己的所有藏书和书画家朋友们的馈赠，全部付之一炬。也看到别人为了珍藏挨斗，被迫跪在地上亲手焚烧心爱的书画，眼看着八大山人和吴昌硕的真迹在火中化为灰烬。到了那一步，我反而有了一点“幸好如何如何”的情绪。文革结束，回到上海，一进门就看见，墙壁一样高大的书橱里只摆着几个酱醋瓶，而那尊汉白玉佛头却奇迹般地仍然在向阳的窗台上微笑着。我问儿子，儿子说：“一直都摆在那儿。”“抄家的那些人没有看见？”“应该看见，好像没有看见。”我如果是个佛教徒，我一定会认为这是菩萨在显灵。正因为我是个“艺”教徒，所以我认为这大概是艺术之神在显灵吧。见到程十发先生，我告诉他：他送给我的许多杰作都已被抄没，而且索要无门。十发先生宽厚地说：“我来落实政策，我来落实政策。”我怎么能让他来落实政策呢！我只接受了他为我重画的一张画，是我点的题：钟馗猎四害。

玩物丧志，是旧日针对那些为玩物倾家荡产的阔少说的。时至今日，玩物丧志说，对？抑或不对呢？我以为：如果走火入魔，何止丧志，丧命的都有。文革后，有些人不是被迟到的懊丧折磨致死么？其实这并不是一个民族的得失，也不是一代人的得失，更不是一个人的得失，而是人类的得失。如果能为此而骄傲，而懊丧，而珍藏、珍爱，玩物不仅不会丧志，而且得志。不知玩家们以为然否？

面对战争的童年

没有比这更可怕的了！童年被迫面对战争、面对法西斯军队的占领。半个世纪以前的情景，我至今都历历在目，那时，死亡——最恐怖的死亡经常发生在我的左邻右舍，应该说，人们都司空见惯了。可我始终都不能淡漠处之，也不能习惯。每一次都会惊恐、悲伤，都会久久的感到不安。然而，当日本宪兵从我手里夺走我的父亲的时候，我才知道什么叫做痛不欲生。1938年冬天，父亲为了能保全妻子儿女，他只身一人离开我们，躲在城南鸡公山一位瑞士籍的牧师家里。但，出乎一切人所意料的是：他在第二年一个夏天的傍晚，突然回到铁蹄下的城里来了。我当时正在门前广场上踢毽子，那时我们家的房子已经被日本宪兵拆毁，而且加上了封条。我们暂时借住在邻居的废墟里，那是一间破漏的大屋，一下雨就要用五六个瓦盆接水，叮叮咚咚，怪好听的。归来的父亲，穿着一袭夏天的白色长袍，我一把抓住他，大声喊着他，他马上捂住我的嘴。他一进门就对娘和我们说："有人已经看见了我，我和你们在一起的时间不多了！我回来就是为了看看你们，就是看看你们。"我好多年都没想通，仅仅为了看看我们，就来送命么？儿时的我怎么能理解父亲当时的困境呢?他孤孤单单一个人，长期蛰伏在别人的地下室里。后来我才知道，他以为买一张良民证，突然潜回城里，带走两个孩子，再逃亡大后方是一个完全可行的方案。他相信这个突然的行动对于日本宪兵也是绝对意外的。唉！从此我才相信：失去亲情的痛苦，可以使人疯狂，可以使人呆痴。他曾经是个多么精明强悍的人啊！他哪里知道，在极权统治下，有很多本来并不险恶的人们，甚至仅仅是为了自保也会叛卖。这正是人数相对很少的日本人，能够那样轻易地占领并统治大半个中国的原因。我父亲只来得及说一句话:“无论有多么困难，别让孩子们失学，要让他们读书……”这时，我已经听见了房顶上的瓦响。日本宪兵把我父亲估计得太强大了！一百多个日本宪兵和伪警察都是从房顶上跳下来的。那时我正拉着父亲的手，当然，我的力量和日本帝国宪兵的力量是难以抗衡的。父亲被他们抓走了！一阵凶狠的喝斥和拳打脚踢。我用尽我所有的力气大声哭叫起来，一会儿，就不省人事了。在我醒来的时候，只听见娘在抽泣。后来，娘用她好不容易才保存下来的几件金银首饰，向一个抽海洛英的小汉奸换来了父亲的一个口信，父亲要看孩子们的习字本儿。娘哀求那个汉奸，把孩子们的习字本儿送进宪兵队的牢房。他送进去了吗?他说是送进去了，真的送进去了吗?直到今天我都不知道。宪兵队是个什么地方，我当然很清楚，那座西式院落战前是县城的邮政总局。日军占领以后就变成了宪兵队，门前日日夜夜都蹲着两对小牛般高的狼狗。每天，东半城的居民彻夜都能听见受难者的惨叫。秋凉以后我们再也无法给父亲送任何东西，也无法得到父亲的口信了。即使给那个贪得无厌的汉奸塞再多的钱，他都拒绝传递哪怕一点点信息了。有人猜测说：你父亲是要犯，已经押送汉口日军华中派遣军总部去了。我父亲为什么是要犯呢？因为他不跟皇军合作。合作是什么意思？合作就是当他们的走狗，就是当汉奸呀！在那些极为寒冷的冬夜里，我像成人那样，很容易被惊醒。夜已经很深了，我听见门外有轻轻的对话声，一个是娘，另一个是谁呢？我光着脚走到门后，贴着门缝倾听。呵，我听出来了，另一个是拉洋车的大老王。我一听声音就能想起他的样子：个子很高，花白胡须，佝偻着腰，一双特别大的光脚。不论春夏秋冬，不论阴晴雨雪，他都蹲在十字路口他自己那辆租来的破洋车旁，等待叫车的顾主。他从不和别的洋车夫争抢，也不喊叫着兜座儿。总是默默地用他那永远都充血的老眼，乞怜地看着从他身边走过的行人。此时，他的声音很恳切，也很悲凉。“二奶奶！我一直都不敢告诉你，怕你难过，可压在心里也真难受，二奶奶！二老爷真的已经不在了……您千万别再花那些冤枉钱去求那些乌龟王八蛋了！二老爷……真的……已经不在了……”“你小声点儿！小声点儿！有多少日子了！孩子们总也没睡踏实过……”“我知道，我要是说出来，你会很难过。我不说你不是永远都蒙在鼓里吗！那是一个伸手不见五指的夜晚，冷风拖拉着满街的落叶，哗啦啦，哗啦啦，天儿很冷了。我在火车站外兜座儿，那趟夜车误了点，总也没见客人出站。我坐在车把上打瞌睡，都快要睡着了。一阵踢踢踏踏的皮鞋声把我吵醒了，我一睁眼就看见了二老爷，那回儿，路灯正好照着他。他瘦得脱了形。您知道，我在战前总在离你们门前不远的路口兜座儿，我太熟悉他了。二老爷还穿着夏天的纺绸长衫，脏得都分不清什么颜色了。他看着我，像是还认得，有话想说，又没法说。一小队日本宪兵押着他，正往东走。我身不由己地站了起来，扶着车把，慢慢儿地、远远儿地跟着他们，看他们到底把他往哪儿送！走着走着，他们就过了铁路。您知道，铁路东就是阳山，我不敢再往前跟了，只能远远儿地看着。他们在阳山脚下喊了立定，两个宪兵一下就把二老爷推进早就挖好了的坑里，接着那些畜生就往坑里填土……土一直埋得齐了二老爷的肩头……”没等大老王说完，娘就失声大叫起来：“你瞎说！”这回倒是大老王反过来提醒我娘：“您小声点儿！小声点儿！二奶奶！别把孩子们惊醒了！”“你！是看错了呀！大老王！”娘恨不得把他的一对眼睛戳瞎。“你，你准是看花了眼！”“二奶奶！别，千万别生气，小声点儿！小声点儿！……”大老王一边说，一边退着逃走了。娘控制不住地大声哭了出来，只一声，她就立即捂住了自己的嘴。在战争结束以前，大老王见到我娘从来都抬不起头来，我娘也没给过他一个好脸色。一直到战争结束以后，公布了日本占领军的档案，我娘才相信大老王说的是真话，当着众人的面，拉住他给他赔了不是。大老王说：“赔不是的不该是您，是我呀！二奶奶！您不相信我就对了，您不相信我，您还有个指望，不然这么些年咋过呀！?”我娘说：“不相信，我日日夜夜都在流泪，如今我相信了，日日夜夜也在流泪，一双眼都哭瞎了！大老王！虽说打以前的日子过来了，以后的日子呢？……”我娘的眼泪又像两条小河似的经过深深的眼窝，流到她的前襟上，从我记事的时候起，她的前襟压根儿就没干过。

半个多世纪以来，每当父亲在我梦中出现的时候，要么是在萧瑟秋风之中穿着分不出颜色的夏天的长袍，要么就是被齐肩埋在泥土里，大睁着眼睛，转动着脖子，寻找着我……

别让童年面对战争！

别让孩子们习惯死亡

鲜艳的战争之花结出的累累恶果，只能是无数人的悲惨死亡。第二次世界大战距今已经半个世纪了。重新去拨动那根早已凝固了的琴弦，既困难而又痛心。在第二次世界大战中，我是个孩子，今天回想起来，仍然使我百思不解而又万分惊骇的是：我的玩伴儿们，和我比肩成长的孩子们对悲惨 死亡的习惯和淡漠！故乡小城沦陷以后，我在废墟场上的玩伴们，一大半都带着重孝。他们家家都有遇害的亲人，出事的第二天，在他们的脸上就看不到悲戚、听不到他们的哭声了。他们照样打群架，照样在屋脊上奔走如飞，照样掏鸽子窝，照样爬上日军随军妓院四周的树上，偷看慰安妇们在院子里洗澡……我却不能，我却不能习惯和淡漠对战争造成的悲惨 死亡，以及悲惨死亡之后给生者遗留下的长久的疼痛，从小就不能，永远不能！

我第一次看到被日军杀害的中国人，是一个中国伤兵。那时我们全家都逃亡在乡下，一个小小的山村，一半都是从城里逃出来的难民。那个伤兵本来是不应该死的，我记得，傍晚时分，我家隔壁的邻居——一个年轻的母亲看见伤兵拖着一条断腿，爬进打谷场边上的稻草垛里，而且她答应过那伤兵：我不会告诉任何人。我听见了，也看见了，只不过他们俩都没看见我罢了。夜里日本军队来扫荡，那个年轻的母亲因为儿子正在发烧，没有躲进山林。次日黎明，我们全家从山林里蹑手蹑脚回来的时候，看见那伤兵僵硬地倒在碾盘上，血已流尽。那个年轻的母亲牵着自己3岁的儿子，站在她租来的农舍门前，看着那死去的伤兵自言自语地说："我没告诉任何人，我真的没……真没……日本人要用刺刀捅死我的小宝，我没办法，只用一根指头指了一下。是这根小拇指，就这样，指了一下……他们就把他拖出来了……我……没……真的没吭过声……"以后天天她都那样说，看着那伤兵的尸体，自言自语。3天以后，善良的人们才把那伤兵草草掩埋了，只裹了张草席。那妇人依旧每天牵着儿子看着那空空的碾盘，自言自语着的还是那几句话……好像碾盘上还躺着那伤兵的血淋淋的尸体。一天夜里，她突然惊恐万状地尖叫起来："你别跟着我！你为什么总要跟着我！你老是用那冰冷的手摸我的脖子，是想掐死我吧！你找错了人了！你的仇人是日本人！不是我！不是我！"她一夜一夜地喊叫着从屋里跳到屋外，又从屋外跳到屋里，疲于奔命地躲避一个追逐着她的冤魂。我娘觉着她怪可怜的，给她出了个主意，要她给那个可怜的冤魂烧几刀黄裱纸。她烧了，并不见效。还是一夜一夜的尖叫……特别奇怪的是，他的儿子一点都不害怕，也不喊叫，只是扯着妈妈的裤脚嬉笑，他以为妈妈在领着他做游戏。说真的，他妈的尖叫一点都不可怕，这个小小人儿的嬉笑却让我毛骨悚然，整夜整夜地失眠，一阵阵地出冷汗。有一天，到了下半夜，她的尖叫声和她儿子的嬉笑忽然戛然而止。我并没因为静下来，就能入睡。我一直都在猜想：也许是那个冤魂已经省悟到：去找日本兵索命才是正理。天刚亮的时候，我提着裤腰带走出房门来撒尿，最先听到的是那孩子的一声“嘻”，让我不自主地打了一个哆嗦。再一看，那孩子的娘躺在院子里的碾盘上，脖子里滴着血，一把菜刀还握在她的手里。儿子正在用自己的手指蘸着他娘脖子上的血，非常细心地给他娘抹着红脸蛋儿。听见我的开门声，他扭过脸来对我甜甜地笑了一下，呲了呲牙。吓得我一个屁股蹲儿倒栽葱跌进屋里，不住地颤抖，再也没敢跨出房门一步。一直到人们把那妇人抬去掩埋了，一个好心的寡妇领走那满脸满身血污的孩子，我才敢走出来重见天日。50多年以来，无论哪一年，哪一天，只要有人提到战争，我都会想起小宝那双血淋淋的小手和那张笑眯眯的脸，我都会不寒而栗。我无论如何都不能习惯死亡！绝对不能！(甚至包括小宝以后的生存在内，他还会有生路吗？如果他不幸还能有生路的话，特别是他还没有失去记忆并懂得人事的时候，他的记忆里将永远印着那幅血淋淋的图画。）我承认，在这一点，我是很没出息的。我的玩伴儿们人人都乐意把从瓦砾堆里的拾起的骷髅顶在头上，只有我不。因为我每当看见一个骷髅的时候，就会联想到一个曾经活着和我相识的人。那个人在生前我不仅见过，还和他说过话，甚至接受过他或她的拥抱。我的玩伴儿中，有一个11岁的孩子，他在脖子上挂着一条特别的项链，是用50多颗三八式步枪子弹头制作的，而且天天用柴灰擦拭得铛亮。他经常向我们炫耀：每一颗弹头都曾呼啸着穿过一个头颅，只要日本宪兵队在西城外枪毙人，他都得跑去围观。

他吹嘘说："每一次我都是离死人最近的一个，围观的人刚一散掉，我就能找到那颗子弹头。"他还说：其中有一颗曾经穿过他表哥的脑袋。他让我们去摸那些子弹头，我不摸。他瞧不起我，说我是胆小鬼。我只能承认我是胆小鬼。当我和玩伴儿们，坐在城墙的堞垛上看鬼火的时候。他们也和我一样，认为每一团绿荧荧的鬼火就是一个冤魂。但他们不仅看得兴高采烈，一旦两团或几团鬼火搅成一团的时候，竟会大声欢呼起来。他们说，这些冤魂像孩子似的在打群架。而我一直都不敢正眼去看那些飘忽不定、凄凄惨惨的火光，我决不相信冤魂们还有心思打群架。直到今日，我都不明白：由于白骨遍野才生出的团团鬼火是让人赏心悦目的美景么？

孩子们最终是难以习惯死亡的，因为孩子们要长大！

寒冷的夏天

1945年8月，我从流亡地潜回故乡过暑假。和母亲、弟弟、妹妹们躲在南乡一个山村里。那正是水稻需要烈日、需要暴雨、需要雷电的季节。每天，天一亮我就走上狭窄的田埂，为了听每一块稻田往外溢水的叮咚声。同时也为了把昨夜挂在每一个出水豁口下的竹篓提起来，抓出夜间滑进竹篓里的小鱼小虾。每天的收获都相当可观。收集了鱼虾，就上了山，虚张声势地追逐一阵子野鸡、野兔。然后坐在湿漉漉的草地上，听远远近近的鸟鸣、虫跳和小草弹掉露珠的声音。那时，完全忘记了整整8年的颠沛流离、惊恐忐忑、贫困饥寒和压抑愤懑。不一会，一种熟悉的隆隆声从遥远的天际由弱渐强。接着蓝天上出现黑压压一片乌云般的美军轰炸机——B－29“超级空中堡垒”。我的全部神经立即紧张起来，跑步奔上山顶，站在最高的一块岩石上，兴奋地注视着它们列队向北飞行，很快就在我熟悉得如同自己掌中纹路一样的故乡小城上空盘旋起来。日军的地面高射炮群率先向美军的机群发起攻击，高射炮弹在低空中爆炸，就像朵朵雪白的棉花球。美军的轰炸机若无其事地列队鱼贯缓缓向下俯冲投弹，转瞬之间，地面上就升起了一片火海。那时我的心情是非常矛盾的，既为盟军的强大空中优势感到骄傲（日本鬼子也有束手无策的时候！）又为炸弹下小城内的亲友、邻里担忧。我走过的每一条街道，我熟悉的每一家店铺，我串过门的每一个小院。哪个院子里有什么样的树木，有什么样的花草，哪家房间桌子上有一个什么样的小花瓶，住有几个什么样的人，特别是我所认识的那些衰老、病残的人们……此刻全都在白炽的烟火之中，生死未卜。

8月中旬的一天上午，只有两架美军B—29轰炸机飞临故乡上空，非常意外的是，那天没有向城内投掷炸弹。而是向城乡广大地面投掷下雪片一般的传单。从这张传单上，日本侵华占领军和被占领区的中国人（包括我这个15岁的孩子），第一次知道在一个遥远的地方波茨坦，开过一个波茨坦会议，会议发表了一个中美英苏四国对日宣言，即《波茨坦宣言》。不少人看到这张传单才知道早在5月8日希特勒德国已经战败投降。传单的照片中有一片废墟的柏林。有4月29日意大利法西斯恶魔墨索里尼和情妇克拉拉·贝塔西倒吊在路灯杆上的尸体。有6月26日美军占领冲绳岛以后，150000日军和非战斗人员尸横遍野的景象。特别是还有8月6日和9日，美军飞机先后向日本广岛和长崎投下两颗原子弹后的照片。日本军国主义者犯下的滔天大罪，得到报应的却首先是千千万万普普通通的日本平民！不知道为什么，我不住地打寒噤。我很自然地想到：难道为了最后胜利，必须让人类付出如此惨重的代价么？但紧接着我就觉察到我的心灵深处有一种黯然神伤的情绪，立即感到十分羞愧。古人云：杀父之仇，不共戴天。法西斯日本是我不共戴天的仇人呀！怎么会这么没出息呢?！应该欢欣鼓舞才对呀！但那些日子我总也快活不起来。

8月18日，美军空投的传单，刊登了日本天皇在15日发表的宣布无条件投降的停战诏书，和17日命令日本国内外武装部队立即投降的敕谕。还有日本陆军在8月14日发生宫廷政变未遂的消息。我才真正感觉到战争即将结束，独自走进山林，流着泪疾行终日。第二天，我毅然决然地向城内走去。那时，故乡小城还没有任何中国军人前来受降，日军哨兵仍然是荷枪实弹。进进出出的中国人，大部分都还心惊胆战地向日军哨兵鞠躬到地。那天，我故意走近日本哨兵，定睛盯着他们的脸，他们表面上依然是一副凶神恶煞的样子，而在他们的瞳仁深处，却充满了怯懦和悲哀。你们也会有悲哀吗!?使得我既费思索，又感到痛快。在我走进南门的时候，一个日本伤兵居然躺在一家店铺门前的台阶上，他的那匹显然饿瘦了的战马，不耐烦地用蹄子刨着地。这就是不可一世的日本陆军的形象么?被占领的8年间，谁都没有见到过这样的日本军人。再往前走，随军酒馆“松风”里还奇迹般飘出咿咿呀呀的歌声。我故意掀起布帘走进去，原来是一个酩酊大醉的日军少佐正拥着一个下女在唱。他竟然把一支进行曲唱成了一支送葬曲，一把一把的眼泪鼻涕都抹在那个下女的身上，另一个战战兢兢的下女为了安全，在偷偷卸他腰里的指挥刀。十几个空空如也的小樽横七竖八地倒在桌上。对于我的出现，他们好像什么都没有看见。

又过了3天，国民党的地方部队开进了城。日本兵才陆陆续续集中到兵营里。我原以为那些血债累累的汉奸头子们都会关进死牢，谁知道他们依然故我，一个一个又佩戴上国民党的党徽，出现在祝捷大会上。一问才知道，他们不仅无罪，反而有功。据说他们都是些“地下工作者”，曾经对党国有过特殊的贡献。人们敢怒而不敢言，但都明白了一个道理：钱是可以赎罪的，即使是卖国罪。沾满鲜血的手也可以用钱洗得清清白白！特别令人难以理解而又引人注目的是：一个日本大佐的中国情妇被迅速判处死刑，并立即执行。这个女子曾经是我的邻居，我认识她。沦陷第二年，有一批不堪乡间各种军队杀戮、盘剥和欺凌才涌进城的乡下人，她就是其中之一，那时她只有15岁。一家人死的死，逃的逃。没死没逃的男人都被各式各样的队伍抓去当了壮丁和小夫。只剩下她和她娘，娘儿俩相依为命，逃进城，住在一片废墟中的一间透着天的破屋里。她的头发剪得男不像男，女不像女，还故意用锅烟把脸抹得乌黑，过着半乞讨的日子。有一次，我们一群10岁不到的男孩儿在河滩上捡彩色石子，她也在河边的木材场上铲树皮。不知道什么时候她也走进了我们的圈子，拉着我，叫我小弟，要我把我捡的彩色石子给她看看，我双手捧着把我捡到的全部彩色石子都伸到她的面前，她细细地看了每一块彩色石子，最后，她告诉我，她最喜欢的是那块像蓝天一样蓝的彩色石子，蓝天上飘着一抹白云。她不住地用手擦呀擦的，舍不得还给我。我当然看出了她的心思，就毫不犹豫地把“蓝天白云”送给了她，她太意外了，想哭又想笑，脸儿涨得彤彤红。虽然她的脸上抹得黢黑，由于我和她离得太近了，脸挨着脸。所以我能看得出，她生得特好看。她对我说：小弟！你咋不叫我呀？叫声姐！我不大情愿地小声叫了一声姐。不知道这声叫为什么会让她那么高兴，笑得都合不拢嘴。后来，每当她见到我，都叫我一声小弟，同时也一定让我叫她一声姐。一个秋天的夜晚，她们娘儿俩刚刚洗过脸，洗了脚，正要睡觉的时候，一个日军准尉闯进了她们的房子，那准尉好像突然发现从云雾中闪露出来的一轮明月。于是就兽性大发，当着她娘的面，糟践了她。那天夜里，我听见她像一头放在屠夫案板上的小羊，先是凄惨地尖叫，而后就是长久的嘤嘤哭泣。第二天我没看见她，第三天我也没看见她。但我知道，那个日军准尉每天夜里都要钻进她们的那间破屋，她们是圈里的羊，无处可逃。第七天早上，我才看见她出现在她们的房门口。她不仅没有叫我，连正眼看看我都没有，只用一种非常陌生的目光斜了我一眼。但我能看出，那是敌视一切人、戒备一切人的目光。从此，我们变成了路人。后来她为了摆脱那畜生和他的同伙的轮奸，主动找了一个日军大佐。通过大佐对那个准尉进行了报复，把他降为士兵，取消了他所有的节假日——也就是不许他外出。这是她当时唯一可以做到的事了。可为什么，战后她竟然要为所有卖国求荣的汉奸承担罪责呢？据说那些审判她的法官们中，就有一个当过伪警官的某君。法官和警官们在她死后，私分她的所谓“赃物”的时候，一致认为，她收藏在珍宝盒内的十几件金银首饰当中，只有那一小块光滑、晶莹而又神秘的“蓝天白云”是一件无价之宝，（我很吃惊，这么多年，她还保留着我从沙砾中找到的那块顽石!?）应该献给新来接防的某正规国军的宋军长。

1945年的8月，至今我都记忆犹新。白炽的夏天啊！阳光灿烂。而对于我个人来说，却是我一生唯一的一个寒冷的夏天。时时都会不寒而栗……希望和失望都太强烈了！而且连接得特别近，跌宕又是那么大！

有朋自海外归来

在国际机场的出口处，遇到一位从海外旅游归来的朋友，一出闸口，就在我面前痛骂他刚刚离开的那个国家了："那个国家简直没有一点哪怕起码的自由。到处不许抽烟，在他们认为的不合适场合抽烟还要罚款，重罚，而且连一点通融都没有！根本没有人情味！差一点没把我给憋死。只有旅馆里的房间才是我唯一的领地，每一次回来，我都急得浑身发抖，抖得一双手根本没法打开打火机。有一次，瘾得我一进旅馆房间就往嘴里塞了两根香烟，同时点着，猛抽！15 分钟抽了 20 根。忽然空气警报器响声大作，居然惊动了一个消防小队，又是人，又是车，车上还架着云梯。外国佬真会大惊小怪！莫名其妙！不可理喻！小题大作！神经过敏！无事生非！如果我的英语好，一定要对他们说：抽烟能让人才思敏捷，周身通泰，遇事沉着镇静，还能帮助消化，'饭后一支烟，快乐似神仙！'当飞机在祖国的土地上缓缓降落的时候，我就感到非常轻松！回到祖国真好！不出国你就不知道自己的国家有多么舒服！中国有一句俗话说的好：'在家千日好，出门时时难'。在咱们中国，至少抽烟有的是广阔的天地。许多重要的体育比赛都可以让外国香烟公司花钱主办，人家慷慨大方，我们引水灌田。花人家的钱，办自己的事，何乐而不为？虽说他们的广告由此而遍及全中国，那有什么？深入人心的是香烟，不是什么思想。在咱们中国，你注意到没有？许多受人尊敬的著名作家，一再成群结伙地参加制烟厂花钱主办的笔会，而且纷纷著文赞美香烟，赞美香烟制造商尊重文化，赞美他们创业的魄力与胆识，以及对国家税收的贡献。在咱们中国，有些文化艺术刊物，就敢于把摩登的星级人物眯着眼睛吸烟、显示其无限享受的玉照登在封面上。用以显示：榜样的力量是无穷的！在咱们中国，大部分公共场所（甚至在许多医院的病房里）都可以吸烟，烟民们对禁止吸烟的标志有视而不见的自由。我曾经在装有空调而密闭的火车车厢里，看见一位学究式的人物颤颤兢兢地去制止一位吸烟的年轻人，我不得不感慨后生之可畏！那年轻人真棒！棒极了！不仅对他嗤之以鼻，而且把烟喷在他的脸上。年轻人说：'这纯属我个人的事情，是我合法拥有的自由。你是咸（闲）吃萝卜淡（蛋）操心！走开！'在咱们中国，越来越多的名媛淑女在公共场所多彩多姿地表演着吞云吐雾，实在是美妙极了！她们的自我感觉也非常良好，那模样，真的是难以描画，可以说既时髦而又性感，既优美而又潇洒。在咱们中国，即使电梯里也可以抽烟。有一次，我看见一位海外归来的华侨老人，从上海一家五星级酒店的电梯里流着泪走出来。我问他：'老先生！您怎么了？'他说：'唉！在中国怎么能这样？电梯里有一位看样子只有十五、六岁的少年，在我身边抽烟，我一直在想：是用拳头把他的脑袋打烂？还是一脚把他踹倒在地上？结果，既没打他、也没踹他，我哭了。’我说：‘幸好您没有动手，那样就显得您太不文明了！他是别人的孩子，不是吗？也不要哭，哭泣伤神，您这么大年纪，健康第一，要不要抽根烟镇静镇静？’他的眼睛突然睁得比牛眼睛还要大一倍，把我吓了一大跳。‘啊！很遗憾！我懂了，在抽烟这门学问上，您还没启蒙，Sorry！……’我觉得这个老头不是太愚，就是太迂了。在咱们中国，无论是公务，还是私谊；无论是初次见面，还是旧交，一见面就给你递烟。这是一种最简便的表示尊重对方、联络感情的表示，也是作用最大、破费最小的礼赠。又没人敢说这是行贿受贿，可是，其效果往往不下于一个万而八千块的红包，这是人所共知、不言而喻的。中国历史上恐怕只有一个怪人，在别人向他敬烟的时候出言不逊：“老子没有这个坏习惯。”他就是已故的军阀韩复渠，什么人说什么话，韩复渠是一个大兵，所以才说这种粗话！实践证明：抽烟的人文雅，抽烟的人长寿，戒烟才死得快哩！一戒就死，绝不能戒！即使那些医生说的对，吸烟短寿，短寿就短寿好了。可你知道，那些说吸烟可怕的中国医生，其实是很可爱的。你猜猜，他们一下班的第一件事是什么？——买、香、烟！老兄！活要活得有质量，活得舒服！只要一朝拥有，何必天长地久呢！”

对于这位抽烟有理的先生，我无言以对！可他一定要知道我的态度，我说：

“你是不是要我说你是个坚定的爱国主义者呢？”

他立即非常兴奋地跳起来，大声说：

“的确，咱们中国抽烟的同志们没有一个不是爱国主义者，中国是世界上第一抽烟大国，我们应该感到自豪！抽烟可以为国家提供大量的税收。国家没有这笔巨大的税收，社会主义建设怎么进行呀？”

我用比他小10倍的声音告诉他：

“可你知不知道？中国的肺癌患者正以每年6.6万人的速度在增加。预计到了2000年，中国肺癌患者将接近世界肺癌患者总数的一半！中国人肺癌的死亡率每年正以4.5%的速度在上升，吸烟引起的疾病和一连串的问题，给国家、社会和个人造成的经济负担远远比香烟的税收要重得多，何况我们为什么要饮鸩止渴呢?!”

他愣住了，足足停顿了一分钟，然后拍拍我的肩膀问：

“老兄！你的烟戒了？”

“我压根儿就没吸过烟。”

“没吸过？……没吸过？我认识你已经有些年头了吧？在我的印象里，你肯定是‘老枪’！你这样的年龄、职业、经历、收入……今天，连中学生都比你开放！居然你不吸烟，还没吸过烟？你真会开玩笑！”他掏出一根“万宝路”来，放在自己的鼻子下面，用力嗅着、呻吟着说：“啊！香极了！你不来一根儿？”我没有作声，他叼着香烟，拿出一个银光闪闪的意大利名牌打火机，“啪”地一声，一朵小火花照亮了他的笑容，他点着香烟，猛吸了一口，再缓缓地吐出来，说了声：“再见！”就拖着有小轮儿的箱子走了。

他的身后留下了一股淡蓝色的袅袅青烟，我闻到了烟味。我经常闻到烟味，可我实实不觉得香烟是香的，所以我对“香烟香极了”的观点不敢苟同。在中国，他是属于37.62%的那一类人，现在暂时还是少数，我相信，不久的将来也许就会变成多数。命中注定，他们那一类，主动抽烟。我是属于62.38%的另一类人，现在暂时还是多数，不久的将来也许就会变成少数。命中注定，我们这一类，不抽烟也得抽烟，叫做：被动抽烟。当然，我承认，他说的许多话是对的。我国是当今世界上烟民最多的国家，也是香烟生产的大国，又是全世界香烟制造商和走私贩子、以及吸烟者最快乐、最自由的天堂。我见到的最小烟民仅仅只有5岁。中国烟民每人每天平均抽烟15支。可以说在抽烟的所有指标上都是绝对的世界第一。

说实话，我并不感到自豪，……何止不感到自豪！

贺龙故居门前有座廊桥

秋冬之交，我坐在贺龙故居门前那座古亦有之的廊桥上。中国西南山区的廊桥和外国的廊桥不一样，要美得多。桥的两侧是开放的，像一座长长的亭子，来往行人可以坐在两边的木板上歇息、谈天。我扶着栏杆，侧身向外，俯瞰着河水。玉泉河在桥下流过，面对不断飘落的黄叶，她似乎在静静地回忆着她那已经一去不复返的、欢乐的夏季。这座廊桥不断把行人从此岸渡向彼岸，又从彼岸渡向此岸。湘西桑植洪家关虽然至今仍是一个偏远的地方！可，古往今来，应该说从这座廊桥上走过的人依然是难以数计！湘西人常说：我们都是些化外之民。这些“化外之民”，大部分是一些赶集买卖、播种收割、安于贫困和寂寞、生于斯且老于斯的农民。也有少数“不安份的人”从这里走向远方，走向波澜壮阔的历史大潮，有过一番殊死的拼搏。清代咸丰年间，贺龙的一位堂曾祖父贺廷璧就是一个，他从贺家老屋出来，在这座廊桥上走过，响应“太平天国”起义的号召，走上了“揭杆而起、打富济贫”的不归之路。在他被清廷逮捕问斩的时候，贺廷璧的发妻刘氏夫人赶到法场，双膝跪在丈夫的面前，抻起衣裳的前襟，等着三声炮响，刽子手手起刀落，人头正好落在她的怀里。刘氏夫人兜着丈夫的人头，一滴泪都没有流，从这座廊桥上走过，回到贺家老屋。她把夫君的人头供在堂屋里的供桌上，转身在大门前连叫三声："贺廷璧回来了！贺廷璧回来了！贺廷璧回来了！"

湘西的女子好烈啊！当我的思绪正沉浸在那场壮烈一幕中的时候，一只苍老的手碰了一下我的臂膀，回身一看；是一位老婆婆。从她那双小脚上就能推测出，她的年龄当在90上下。问她，果然，她已是88高龄的人了。姓向，土家族，夫家也姓贺，在廊桥两侧行人歇脚的木板上，摆了些小人书出租，5分钱一本，远方来客尽看不收费。她对我说：

"贺家的老屋和这条桥一样，修了毁，毁了修，我记得起的就有十几回。如今是座空屋，贺家人都走光了，都是从这座桥上走的。算起来我们是亲戚，他的第二位夫人向元姑是我的侄女辈，元姑是庚申（1920）年夏天嫁到贺家来的，花轿从这座桥上经过，点了好多好多的鞭炮，桥面上一片红。那时候，贺龙正在外面领兵，不在家。是贺龙的小妹绒姑抱着大公鸡和新娘拜的堂。后来贺家的人一个个都走了，都是从这座桥上走的。贺龙的大姐贺香姑（就是贺英）和二姐戊姑是壬戌（1932）年从这座桥上走的，一去再也没有回来，听说第二年春上被敌人打死在和我们桑植搭界的鹤峰。满姑也是从这座桥上走的，被人绑起……一去再也没有回来，敌人在县城的城门外把她……莫提了，惨得很。贺龙是甲戌（1934）年走的，临走以前到我屋里一坐下就不想起来，说：妹子！我走了，走了，妹子！我走了，还要回来的。——他拍拍我的手背就起身了。贺龙走了，他是骑起马从这座桥上走的，也是一去没有回来……都没有回来啊！”她停顿了一会儿以后问我：“……你老远赶来，也是来看看贺家老屋的吗？”

我点点头。

“你也见过贺龙吧？是吧？”

“你是怎么看出来的呢？”

“我看见你和别人不同，坐在桥上，不言不语，两只眼角都是湿的……”

“是的，四十几年前我在他身边工作过。”

“怪不得。”说着她转了一个身，神秘地从怀里掏出个东西来，向我使了个眼色。

“给！”

我接着的时候才知道是颗好大好黄的桔子。

“不，我怎么能要您的桔子呢！”

我把桔子重新塞进她的手心里，使得她好不高兴：

“这东西不值钱的，今年才几角钱一斤。”

“谢谢您！您的情意可不是钱能买得来的。我这次来湘西吃了很多桔子，谢谢您！心领了。”

在金粉似的夕阳中，我告别了贺龙故居，告别了向婆婆。走了，从那座无数人走过的廊桥上……

悲情之旅

白　桦著

责任编辑:邓映如

*

湖南文艺出版社出版、发行

(长沙市河西银盆南路 67 号　邮码:410006)

湖南省新华书店经销　湘潭市彩色印刷厂印刷

*

1998 年 1 月第 1 版第 1 次印刷

开本:850 × 1168 1/32 印张:8

字数:163,000　印数:1 - 6,000

简易精平装: ISBN7 - 5404 - 1796 - 2 / I·1439　定价:12.60 元

本书若有质量问题,请直接与印刷厂技质科联系斟换

(厂址:湘潭市建城路 45 号　　邮编:411100)